O OUVIDOR
DO BRASIL

Ruy Castro

O OUVIDOR DO BRASIL
99 vezes Tom Jobim

COMPANHIA DAS LETRAS

Copyright © 2024 by Ruy Castro

Grafia atualizada segundo o Acordo Ortográfico da Língua Portuguesa de 1990, que entrou em vigor no Brasil em 2009.

Capa e projeto gráfico
Alceu Chiesorin Nunes

Foto de capa
Mario Coelho Filho/ Editora Globo/ Agência O Globo

Imagem de verso da capa
Acervo do autor. Reprodução: Heloisa Seixas

Foto de miolo
Série fotográfica — Ensaio poético: Tom e Ana Jobim. Poço Fundo, 1987.
Fotografia: Ana Lontra Jobim

Preparação
Marina Munhoz

Índice onomástico
Maria Claudia Carvalho Mattos

Revisão
Ana Maria Barbosa
Julian F. Guimarães

Dados Internacionais de Catalogação na Publicação (CIP)
(Câmara Brasileira do Livro, SP, Brasil)

Castro, Ruy
    O ouvidor do Brasil : 99 vezes Tom Jobim / Ruy Castro.
— 1ª ed. — São Paulo : Companhia das Letras, 2024.

    ISBN 978-85-359-3756-5

    1. Jobim, Tom, 1927-1994 2. Música popular – Brasil –
Crônicas I. Título.

24-196302   CDD-B869.8

Índice para catálogo sistemático:
1. Crônicas : Literatura brasileira B869.8

Cibele Maria Dias – Bibliotecária – CRB-8/9427

2ª reimpressão

Todos os direitos desta edição reservados à
EDITORA SCHWARCZ S.A.
Rua Bandeira Paulista, 702, cj. 32
04532-002 — São Paulo — SP
Telefone: (11) 3707-3500
www.companhiadasletras.com.br
www.blogdacompanhia.com.br
facebook.com/ companhiadasletras
instagram.com/ companhiadasletras
twitter.com/ cialetras

Para minha irmãzinha
Rita Kauffman

Sumário

Apresentação 13

1. O ouvidor do Brasil 15

O voluntário da pátria 17

Em permanente estado de assembleia 19

Declarações de amor 21

O primeiro Jobim 23

O autor do autor 25

Recado em prosa 27

Brincando com fogo 29

Maestro piador 31

Ela iria ouvir 33

Os que podem viajar pelo céu 35

Praia de Tom Jobim 37

Mata, arrasa e leva embora 39

Tom entre nós 41

Eu fico 43

Bom era antes 45

Clássicos da ditadura 47

Para principiantes 49

País sem pianos 51

Perdidos na zona fantasma 53

Os LPs são inocentes 55

Agora é cinza 57

Saudades do Brasil 59

Haja placas! 61

Endereços com história...............................63

O painel redivivo....................................65

2. As boas histórias..................................67

De como Tom salvou João...........................69

A prova do sonho...................................71

Falsas boas histórias...............................73

Palavras em "al"....................................75

Antes dos 29.......................................77

Últimas palavras...................................79

Nomes a percorrer de táxi...........................81

Ilhas desertas.....................................83

Cercado pela monofonia.............................85

Não é biscoito.....................................87

As sementes e a colheita............................89

Rapaz de bem......................................91

Promessa a Tito Madi...............................93

Canções cheias de luz...............................95

Arqueologia das boates..............................97

Piano na Mangueira................................99

Momentos de som e fúria...........................101

Música de elevador................................103

Paz e pasmaceira..................................105

Times do coração..................................107

Abraço na estátua.................................109

As vozes dos donos................................111

Coquetelaria Bossa Nova...........................113

3. Anos dourados...................................115

Uma história de amor..............................117

Tom dos cinco idiomas.............................119

Sem começo nem fim..............................121

Coisa nossa.......................................123

Obras-primas pela janela...........................125

As múltuas admirações 127

A quebra da cadeia 129

A bossa nova e a ararinha 131

Inspiração tardia 133

Música com muitos pais 135

Cantando baixinho 137

Num estupendo verão 139

O homem que fez a Festa 141

Impossível escolher 143

Os quinhentos mais — em termos 145

Inesgotável. Mas indestrutível? 147

O grosso e o fino 149

Não era tão impossível. 151

De uma agendinha de bolso.......................... 153

Getz/Gilberto sessentinha............................ 155

O óbvio sussurrante 157

E, então, vem a mutreta 159

Astrud nunca foi perdoada 161

O autor oculto 163

O som que se pode enxergar 165

Conspiração de silêncio 167

Parentes terríveis 169

4. Vou te contar 171

Às portas da ABL 173

Amigo é assim...................................... 175

Cantando para Billy................................. 177

Humor de Billy 179

Havia um mundo 181

Idiota, tá o.k.; de Ipanema, jamais 183

Provocação e prova................................. 185

Querido Leblon 187

Pela primeira vez 189

Vou te contar 191

O disco da girafa 193

Homens invisíveis 195

Sapato de camurça 197

Exemplo de generosidade 199

Torneio de peteca na praia 201

Fim do sossego no paraíso 203

Belezas em reserva 205

A vida desafina 207

$1 + 1 = 30$ 209

Visitas gasosas 211

Tarde-noite vinte anos depois 213

Discos, só em sonhos 215

Piano de pau 217

Tinha de ser 219

Índice onomástico 221

Ouvidor. S. m. Do latim *auditor, -oris*; auditor, ouvinte. Aquele que ouve. Atento aos valores ambientais, urbanos, vegetais, animais, humanos e culturais, e de prontidão para defendê-los. Que ouve os sons do país, venham da floresta ou da cidade. Exemplo: Antonio Carlos Jobim.

Apresentação

Os 99 textos a seguir foram publicados originalmente entre 2007 e 2023, na página 2 da *Folha de S.Paulo*. Todos tratam de Tom Jobim, o homem e o artista, e do mundo que girou tendo-o como centro. Em alguns, a presença de Tom poderá parecer de passagem. Mas não é assim — tudo neste livro só aconteceu ou está aqui porque um dia ele existiu.

Em dezesseis anos, a um ritmo de três e depois quatro textos por semana, produzi cerca de 3500 crônicas para o jornal. Destas, recolhidas por minha assistente, Flavia Leite, 120 falavam de Tom. Foram reduzidas a noventa, atualizadas, reescritas, dispostas em ordem mais temática do que cronológica e acrescidas de nove feitas exclusivamente para o livro. Possíveis ecos entre uma e outra significam apenas que elas se complementam e se completam. Tom era muitos, mas o autor é um só.

Ah, sim, a definição de "ouvidor" que você deve ter lido há pouco. Foi tirada de um dicionário — mas de um dicionário que estou pensando em escrever.

1
O OUVIDOR DO BRASIL

O voluntário da pátria

Os franceses, com sua incontornável paixão por classificar tudo, inventaram a palavra "incontornável" para definir algo ou alguém de que ou de quem não se pode fugir ou abrir mão. E que bom que a tenham inventado, porque não há melhor maneira de explicar a presença, hoje, como sempre, de Antonio Carlos Jobim entre nós.

A história o dá como tendo morrido de uma complicação cardíaca aos 67 anos durante uma cirurgia no Hospital Mount Sinai, em Nova York, em 8 de dezembro de 1994, e, dias depois, sido trazido para o Rio, velado no Jardim Botânico e levado ao Cemitério São João Batista, num cortejo que emocionou a cidade. Desde então, Tom deixou de ser visto nas ruas do Rio, onde, apesar de mundialmente famoso, circulava com o mais carioca dos à vontades e se deixava abordar por populares, amorosos e reverentes. Mas isso é só um formalismo. Tom não morreu.

É o que sua permanência em nosso dia a dia faz pensar. Suas canções, em qualquer gênero, estilo ou formato, não saem de circulação. Estão em shows, rádios, discos e no streaming, indiferentes a fronteiras. Não há país a que se vá que não se possa ouvi-las, em salas de concerto, cabarés e até na rua. Cantores e músicos de toda parte continuam a gravar songbooks de sua obra. Livros são escritos a seu respeito, filmes são produzidos. Enquanto tantos de seus parceiros e contemporâneos foram reduzidos a referências nos livros de história, Tom parece fisicamente vivo e ativo.

Mas sua preocupação com o meio ambiente, em termos de preservação e defesa de mares, matas e seres, que tantas incompreensões lhe rendeu, só há pouco entrou para a pauta nacional. Tom foi, antes de muitos, um ouvidor do Brasil, um ombudsman por conta própria. Ninguém o contratou ou escalou para isso — ao contrário, era um voluntário da pátria. E, não fosse ele um músico, ninguém mais equipado para *ouvir* o país, do pio do inhambu aos gritos da floresta sendo abatida a machado ou serra. Mas quantos outros músicos o seguiram nessa missão?

Tom não morreu, e a qualquer hora dessas vamos cruzar com ele, aflito, à sombra de alguma árvore que já não está mais lá.

Em permanente estado de assembleia

Escrevi certa vez que, sempre que Tom Jobim abria o piano, o mundo melhorava. De seu piano saíam mares, rios, matas, serras, montanhas, peixes, aves, formando um corpo de beleza e de eternidade em forma de canção. Era como se seu teclado estivesse sujeito aos ventos e às marés. Mas quem conhecesse Tom Jobim da rua, dos botequins ou dos oásis do Rio sabia que, para ele, com frequência, a música era quase um hobby. Na maior parte do tempo, era um homem em alerta por cada centímetro e cada habitante, bípede, quadrúpede ou multípede, da Mata Atlântica.

Não importava onde estivesse. Podia ser em Ipanema, nos vários endereços em que morou; na casa que construiu sob o sovaco do Cristo, nos altos do Jardim Botânico; em seu apartamento em Nova York, de frente para o Metropolitan; ou em algum hotel de Los Angeles, Londres, Jerusalém ou qualquer cidade em que se apresentasse. Não fazia diferença. Onde quer que estivesse, suas janelas só davam para o Brasil. Ao abri-las, o que ele enxergava eram os recônditos da Amazônia, as águas da Lagoa, o mar do Arpoador, as majestades de pedra dos Dois Irmãos, os pequenos habitantes cascudos da floresta, a chuva na roseira, os tico-ticos passeando no molhado. Sua música tentou nos tornar melhores como brasileiros e nos alertar para a vida que, por cumplicidade e omissão, estávamos permitindo que fosse destruída.

De seu posto de observação, ele via as cidades sucumbindo ao concreto, impermeabilizadas pelo asfalto, e as matas cortadas por estradas para a passagem de um bicho predador, com carapaça de metal e sangue de gasolina. "Outro dia, fui à mata piar um inhambu", suspirou, "e o que saiu de trás da moita? Um Volkswagen."

Tom não se queixava do Brasil. "É o único país do mundo com nome de árvore. E não tem mais essa árvore." Queixava-se do brasileiro, "que acorda todo dia para destruir o Brasil". E por ter tão pouca autoestima: "O Japão é um país paupérrimo, com vocação para a riqueza. Nós somos um país riquíssimo, com vocação para a pobreza". E ele se dizia tudo, menos saudosista: "De que adianta eu sentir saudade do Brasil se ninguém mais sente?".

Sem saber, sem querer e sem poder evitar, Tom era um homem em permanente estado de assembleia com o Brasil.

Declarações de amor

Como se explica? Como foi possível a Tom Jobim, que compôs uma sinfonia da metrópole, urbanizou as harmonias e curvou milhões à sua pulsação rítmica, saber que o murici floresce no alto da serra, que a jacutinga come o coco da juçara e que o urubu é um provador de venenos — e o que ele não toca o homem não deve tocar? Que o macuco não usa o dedo de trás, só os três da frente, e, ao empoleirar, escolhe um tronco grosso, meio horizontal, e se apoia com os três dedos e com as escamas que tem na parte de trás das pernas. E que o matitaperê, um cuco listrado e grandinho, bota o ovo no ninho do joão-teneném para que este crie o seu filhote.

Que o pássaro, como o avião, só voa contra o vento e pousa contra o vento — quando se vê um pássaro no alto de um pau, seu bico aponta para o vento, como uma biruta num campo de pouso. Que, com a abertura da estrada Rio-Santos, impediu-se que os animais da floresta cheguem até o mar e, por isso, os poucos que ainda restam e se atrevem a tentar atravessá-la morrem atropelados.

Que no Brasil não tem bicho de presépio, como a vaquinha, o burrinho, a galinha. Nada disso é brasileiro, foi tudo importado. O que nós temos aqui é o tamanduá, o gambá, a preguiça. Antigamente, Tom era mais purista. Ficava triste quando encontrava na mata uma árvore que não era brasileira, porque isso queria dizer que ali não era mata virgem. Depois se acostumou: "Nós próprios somos importados".

Quando lhe perguntavam como sabia dessas coisas, ele dizia: "Eu sou filho da Mata Atlântica. Conheço esses bichos todos". E acrescentava que acordar cedo, ver o sol, respirar fundo e achar que a vida é bonita era o que o estimulava a sentar e escrever música.

Está explicado. Mais detalhes nos livros *Meu querido Jardim Botânico*, com Zeka Araújo, de 1987, e *Toda a minha obra é inspirada na Mata Atlântica*, com Ana Jobim, de 2001, hoje esgotados e só encontrados nos sebos. São suas declarações de amor à natureza, feitas com palavras, que soam como música.

O primeiro Jobim

Para a história: qual foi a primeira vez que o nome de Antonio Carlos Jobim apareceu em jornal ou revista? Pode não ser uma pergunta de que dependa o futuro da música popular, nem da bossa nova, nem da biografia de Tom. Por que, então, fazê-la? Porque aos biógrafos compete fazer perguntas, até as mais bobas, desde que nunca tenham sido perguntadas. Donde qual foi a primeira vez que o nome de Antonio Carlos Jobim, nascido em 1927, apareceu na imprensa?

Teria sido em 1958, quando João Gilberto gravou, de Tom e Vinicius, "Chega de saudade" e dividiu o átomo? Ou em 1956, quando o musical *Orfeu da Conceição*, também de Tom e Vinicius, estreou no Municipal? Ou em 1954, quando Tom e Billy Blanco se revelaram com a *Sinfonia do Rio de Janeiro* e o samba "Teresa da praia"? Não. É bem provável que, antes disso, o nome de Tom já tivesse saído em algum tijolinho de jornal como pianista de uma das boates em que ele deu duro na noite carioca a partir de 1950.

Mas houve uma instância ainda muito anterior. Foi na revista *O Malho*, de 31 de maio do quase pré-diluviano 1934. Um poeta chamado Jorge Jobim publicou um poema, "Vem cá, siriri", que, em seus versos finais, dizia: "'Vem cá, siriri/ As moças te chamam, tu não queres vir...'// Ah! Que é feito das meninas/ Que essa cantiga cantavam?/ Estarão vivas ou mortas?/ Desgraçadas ou felizes?// Coitadas! Vivas embora/ Como eu, as pobres meninas/ Já estarão quase mortas/ Porque hão de estar quase velhas!// E não de seus lábios frescos/ Mas do meu coração gasto/ Sai, longínqua e dolorida/ Essa cantiga de outrora:// 'Vem cá, siriri,/ As moças te chamam, tu não queres vir...'".

Versos penumbrosos e pessimistas, falando de morte. Mas que Jorge Jobim (1889-1935), num assomo de amor, dedicou a seu filho de sete anos: "Para o meu Antonio Carlos".

O autor do autor

Tom Jobim, morto em 1994, aos 67 anos, parece tão vivo hoje quanto no tempo em que o Rio o tinha ao alcance de abraços, nas ruas do Leblon, da Gávea e do Jardim Botânico. Nunca um gênio foi tão disponível. Sua música continua onipresente, e seu prestígio como autor, intocado. Por acaso, caiu-me às mãos há dias um livro do homem que, para todos os efeitos, poderia dizer-se autor — ou coautor — do autor: seu pai, o poeta e diplomata gaúcho Jorge Jobim.

Pelas fotos, era um belo homem, vistoso, bem-vestido. Tom mal o conheceu. Tinha oito anos quando ele morreu, em 1935, aos 46 anos, e menos ainda de convívio, se se descontarem os dois anos em que Jorge Jobim, aflito e desorientado, surtou, largou a família e foi viver sozinho em Petrópolis. Recuperou-se e voltou para casa, mas logo entrou de novo em parafuso e passou um ano internado no setor psiquiátrico da Casa de Saúde Dr. Eiras, em Botafogo. E lá morreu, de infarto, aos 46 anos.

E como poeta? O livro que achei num sebo, *Poesias*, não nos diz muito. Jorge Jobim era um parnasiano, discípulo de Alberto de Oliveira, um dos mestres desse gênero poético. O problema era esse gênero, definido pelo crítico Agrippino Grieco como "de um brilho ilusório, de móvel envernizado", em poemas tipo "vidros de farmácia, cheios de água colorida", e seus poetas, "comparáveis a leões de mármore, suntuosos e inofensivos". O próprio Alberto de Oliveira foi chamado por Grieco de "poeta de geladeira".

Jorge Jobim não era diferente. Os melhores versos que encontrei nas longas 240 páginas de seu livro foram "As armas com que lutei/ Depus aos teus pés, Senhora./ Como hei de lutar agora?". Tudo mais é a competência formal típica daqueles poetas, fria, engessada e até surpreendente num homem tão inseguro e atormentado.

Tom era leitor de poesia, só que de modernos como Drummond e Bandeira. Falou-me algumas vezes de seu pai, mas nunca como poeta. Talvez não o admirasse pela obra, no que fez bem. Ou não teria escrito "Águas de março".

Recado em prosa

Se estivesse vivo, Tom Jobim teria sido recebido ao som de fanfarras e clarins nos salões do Riocentro, na abertura da conferência mundial Rio+20, em 2012. Não por ser o autor de "Corcovado", "Chovendo na roseira", "Águas de março", "Borzeguim", "O boto" e muitas outras canções que celebram a conservação da natureza. Ou não apenas por isso. Mas por ser um porta-voz da ecologia desde a época em que, no Brasil, o sentido dessa palavra tinha de ser procurado no dicionário.

Na maioria das entrevistas que concedeu, Tom sempre denunciou a destruição da mata e da fauna, a contaminação dos rios, das lagoas e das baías, o envenenamento do ar, a descaracterização das cidades pelo automóvel, pela terra arrasada da especulação imobiliária e outras mazelas. "O homem começou a derrubar as árvores assim que desceu delas", dizia. Era quase uma ideia fixa, mais até do que a música — sobre a qual, aliás, pouco falava.

De repente, entre duas frases, Tom desfiava os nomes das diversas espécies de urubu — o jereba, o peba, o urubupeba. Ou como num passeio que fiz com ele pelo Central Park, em Nova York, em 1989, em que foi identificando pelo nome cada passarinho americano, em inglês e português. Mas a paixão pelo Brasil é que era sua seiva criativa: "Toda a minha obra é inspirada na Mata Atlântica", dizia. Os 5% ou 7% que sobraram dela, acrescentava.

Conto isso para contrastar com a brutalidade com que Tom era visto nas redações em que trabalhei, no Rio e em São Paulo, durante os anos 70 e boa parte dos 80. Era encarado com impaciência: "Ih, lá vem de novo o Tom Jobim com aquela mania de ecologia".

Ou, diante de minhas repetidas sugestões de uma entrevista com ele, para uma revista que se orgulhava de suas entrevistas: "Não. Tom Jobim é o que há de mais rançoso".

Ainda não percebíamos que estava nos dando em prosa o mesmo recado que dava nas canções. Ou que a música dependia essencialmente da vida para continuar existindo.

Brincando com fogo

Já contei que, nos anos 70 e 80, vivi essa experiência em várias redações do Rio e de São Paulo em que trabalhei. Quando um repórter sugeria uma entrevista com Tom Jobim, alguém dizia: "Tom Jobim? É um chato. Você pergunta a ele sobre qualquer assunto e ele só quer falar da tal da ecologia".

Era verdade: Tom só queria falar de ecologia. Mas, longe de torná-lo um chato, sua insistência no assunto só revelava o nosso atraso na matéria. Para os poucos de nós que fomos ao dicionário para saber do que se tratava, ecologia era uma espécie de ramo da biologia, algo a ver com amebas ou protozoários. Ainda não a associávamos a conservação e proteção do meio ambiente. Só que Tom vivia em Nova York, e os americanos, desde os anos 60, já tinham despertado para o problema. Um cartum daquela época na revista *The New Yorker* perguntava: "Lembra-se de quando o ar era limpo e o sexo era sujo?".

Mas a ecologia de Tom ainda era aquela básica, quase primária. Significava proteger a Mata Atlântica, salvar os peixes nos rios, louvar os urubus, protestar contra o sumiço dos tatuís nas areias do Arpoador e denunciar os sergiodourados que, com seus espigões, impediam que da janela se visse o Corcovado. E Tom estava certo, porque esses eram os perigos então à espreita. Ele morreu em 1994, e antes o tivéssemos escutado, porque pouco depois a coisa fugiria ao controle — novas e gravíssimas denúncias começariam a nos tirar o sono.

Tom não chegou ao nosso pânico atual com o aquecimento global, as oscilações climáticas, o derretimento das geleiras, o aumento do volume de água no mar, as secas e as enchentes, a inundação das cidades costeiras. Os ciclones que assolam regiões até há pouco a salvo desse fenômeno. As espécies em perigo e as que já desapareceram. A emissão de gases, o desmatamento e, no Brasil, sucedendo aos governos que só eram omissos, um governo que tinha como programa exatamente a destruição da Amazônia. Que sorte de Tom não ter chegado a Bolsonaro.

O Brasil, por mais que alertado e sob as vistas dos organismos internacionais, continua brincando — literalmente — com fogo.

Maestro piador

Se tivesse que ser definido por completo, Antonio Carlos Jobim deveria ser classificado como compositor, letrista, maestro, arranjador, pianista, cantor e, tome nota, piador. Sim, piador. Um recorte enviado por meu amigo João Antonio Buhrer, de Campinas, me alertou para essa qualidade quase despercebida no rol de gostos e aptidões de Tom: o domínio da arte de piar, usando complexos pios artesanais para conversar de igual para igual com seus irmãos de asas. Cada pássaro, um pio — uma língua diferente.

Em Nova York, passeando pelo Central Park, Tom promovia uma congregação binacional entre os passarinhos americanos e brasileiros, identificando-os pelo canto e chamando-os por seus nomes em inglês e português. *Robin* era o pintarroxo, *nightingale*, o rouxinol, *quail*, a codorna. Mais difícil era saber como se chamavam certos pássaros brasileiros em inglês. Como traduzir, por exemplo, a variedade dos nossos urubus? Segundo ele, só o jereba tinha trinta nomes.

Em jovem, nas suas incursões pelo mato, Tom piava inhambus, mas para matá-los. "O inhambu vinha todo apaixonado e eu o matava à traição", confessou. Era uma prática comum aos rapazes de sua geração. Mas, mais cedo do que muitos, ele enxergou a desumanidade daquilo. Continuou a piar vários pássaros, mas já então para firmar com eles um diálogo de amor.

A faixa "O boto", em seu álbum *Urubu*, de 1975, é uma sinfonia de pios. Se, ao ouvi-lo, você não percebeu, é porque eles foram integrados com tal naturalidade à orquestração que só podem ser "escutados" pelos muito atentos. Mas estão lá no disco, e executados pelo próprio Tom, quem mais? Os pios que usava eram de ipê ou bambu, torneados por seus fornecedores: os velhos artesãos piadores da Fábrica de Pios de Aves, de Cachoeiro de Itapemirim (ES), da qual ouviu falar por outro piador impenitente: Rubem Braga.

Os tico-ticos, jerebas e patos-pretos o entendiam. Tom era multilíngue — piava todos os pios e conversava até com o macuco, que, exceto ele, ninguém nunca viu.

Ela iria ouvir

Tom Jobim era exigente com as casas em que morava. Cuidava de que as janelas deslizassem nos encaixes sem emperrar; que os corredores fossem espaçosos e iluminados; as escadas tivessem corrimão de madeira; os abajures se acendessem por interruptores nas paredes, para não ser necessário tatear no escuro; as torneiras, em formato de orelhas de Mickey, para serem fáceis de usar por mãos ensaboadas; a garagem, ampla para manobras. E não abria mão do pé-direito alto: "Pé-direito bom é aquele em que você entra montado no cavalo e dá vivas à República tirando da cabeça o chapéu de mexicano".

O que importava era o conforto dos moradores. Donde nada de copos quadrados, pias baixas ou degraus altos, que podiam ser "modernos", mas eram falsas boas ideias. Sentado ao piano, bastava-lhe estender a mão para pegar o de que precisasse: pautas, partituras, lápis, dicionários, copo, fósforos, caixa de charutos. A harmonia, parte tão importante da música, era essencial também para uma casa funcionar.

Pergunto-me o que Tom estaria achando do complexo aeroviário que desde 1999 leva o seu nome e que ele não pediu para batizar: o Aeroporto Internacional Tom Jobim-Galeão. Já aconteceu de um urubu — coitado, logo quem — entrar sem querer na turbina de um avião, morrer e quase provocar um desastre. E não vamos nem considerar as frequentes notícias de que a Polícia Federal apreendeu "um carregamento de cocaína no Tom Jobim" ou que "traficantes de aves e animais silvestres operam pelo Tom Jobim" — ligando seu nome a práticas e produtos opostos a tudo que ele representava.

Basta ver o que o Tom Jobim, não o próprio, mas o aeroporto, já significou. Foi sinônimo de aviões que custavam a receber autorização de pouso, desembarque demorado, péssima sinalização, alfândega e imigração caóticas, bagagem que levava uma hora para chegar, esteiras e escadas rolantes paradas, elevadores enguiçados, banheiros em mau estado, cheiro de urina no estacionamento, taxistas que se atiravam sobre quem chegava.

O Galeão, vítima de várias sabotagens que o levaram àquela situação, melhorou muito. Mas sorte da Infraero que Tom não seja mais usuário do aeroporto em que ela botou seu nome. A Infraero iria ouvir.

Os que podem viajar pelo céu

Em todos os jornais, sites, TVs e rádios do planeta, nos últimos dias de junho de 2009, informou-se que o Airbus da Air France que caiu no oceano Atlântico, matando as 228 pessoas a bordo, havia decolado "do Aeroporto Galeão-Tom Jobim, no Rio". Mídia e curiosos especularam sobre se o avião já não teria saído do Tom Jobim com algum problema, ou por que não fora devidamente checado no Tom Jobim, e se o precário controle de voo no Tom Jobim isto ou o Tom Jobim deficiente naquilo.

É claro, nada supera a tragédia em si, mas é triste ver o nome de um artista aparecer no noticiário associado a um dos piores desastres da história da aviação. E ninguém merece isso menos do que Tom — seu nome estava apenas batizando um aeroporto, que, por sua vez, também não teve nenhuma responsabilidade na desgraça.

Há certo lirismo no fato de um aeroporto levar o nome de um músico, quando a regra é que essa honra seja privilégio de gente cascuda, como reis, presidentes, militares — aliás, aeroportos são instalações militares. Mas, com isso, o homenageado corre o risco de protagonizar manchetes de sentido dúbio, como já aconteceu por aqui: "POLÍCIA FEDERAL APREENDE DUZENTOS QUILOS DE COCAÍNA NO TOM JOBIM".

Tom não chegava nem perto de drogas ilícitas, não gostava de aeroportos e tinha horror a avião. Só voava porque era obrigado a viajar — sua ponte aérea era a Rio-Nova York. Ao compor o "Samba do avião", em meados de 1962, queria apenas celebrar uma rara chegada ao Rio por esse meio, voltando de São Paulo — ele que, na época, só fazia esse trajeto de trem. Ao ser convidado para o concerto de bossa nova no Carnegie Hall em 1962, obrigou seu amigo Fernando Sabino a jurar que o avião não ia cair.

Sempre achei que acoplar o nome de Tom Jobim ao do antigo Galeão, o que aconteceu meses depois de sua morte, em 1994, era uma ideia horrível. Uma homenagem mais a propósito teria sido se dessem o seu nome ao jereba, um dos urubus que mais o emocionavam, ou a qualquer ser alado — para ele, os únicos que tinham direito a viajar pelo céu.

Praia de Tom Jobim

Uma amiga me manda de Nova York a foto de uma placa na esquina da rua 76 Leste com a Madison Avenue dizendo: "BOBBY SHORT PLACE". Ali fica o Café Carlyle, a boate onde o insuperável Bobby Short (1924-2005) reinou durante 37 anos como cantor, pianista e sinônimo do que Manhattan entendia como sofisticação. Talvez tudo isso não fosse suficiente para render a Bobby uma rua, e nem Nova York vive trocando o nome de suas ruas. Mas valeu-lhe uma placa, e no seu pedaço da cidade.

É uma placa simbólica, nas proximidades da placa oficial, sem substituí-la. É como Nova York homenageia seus ilustres — sem infernizar a vida dos moradores e comerciantes, sem obrigá-los a ter de pedir novos registros na prefeitura e sem bagunçar o trabalho de entregadores, carteiros e motoristas de táxi. A denominação pode variar — *place* (lugar), *corner* (esquina), *spot* (ponto) —, mas o fim é o mesmo: ligar aquele pequeno trecho da cidade à memória da pessoa que o enobreceu. Duke Ellington, Louis Armstrong e Jelly Roll Morton foram alguns que sei que receberam essa homenagem.

Quando Tom Jobim morreu, Cesar Maia, o então prefeito do Rio, teve a falsa boa ideia de dar o seu nome à avenida Vieira Souto, em Ipanema. Isso obrigava à evaporação do nome do homem que sempre a batizou — como se esse homem, Luiz Raphael Vieira Souto (1849-1922), fosse um qualquer, e não um dos brilhantes engenheiros que sanearam e modernizaram o Rio na virada do século XX. A família de Vieira Souto fez bem em estrilar, e Cesar Maia recuou.

O próprio Tom não aceitaria virar avenida, qualquer que fosse.

Quando Vinicius de Moraes morreu, em 1980, e deram o nome dele à tradicional rua Montenegro, Tom foi contra. Disse: "Os carros agora passam por cima do Vinicius e os cachorros mijam nele". Pois Tom acabou virando aeroporto — logo ele, que não gostava de avião.

Na época, ofereci uma alternativa. Em vez do aeroporto, que instalassem uma placa auxiliar sob a placa oficial em cada uma das doze esquinas da Vieira Souto, dizendo apenas "PRAIA DE TOM JOBIM". Mas ninguém deu bola.

Mata, arrasa e leva embora

É a lama, é a lama. Poço Fundo, o sítio da família de Tom Jobim na pequena São José do Vale do Rio Preto, perto de Teresópolis, foi destruído pela enchente que avassalou a região serrana em 2011. O rio que dá nome à cidade transbordou e arrastou casas, árvores e animais que viviam às suas margens, inclusive a propriedade que foi inspiração e cenário de, entre tantas canções de Tom, "Águas de março".

A letra do samba está cheia de imagens proféticas: é pau, é pedra, é o fim do caminho; é a chuva chovendo, é o fundo do poço, é a noite, é a morte; no rosto o desgosto, é um pouco sozinho — embora, ao escrever isto, o poeta estivesse descrevendo as águas que, fechando o verão, lavavam a alma e eram uma promessa de vida no coração do ouvinte.

Mais cruel ainda é saber que o delicioso "riachinho de água esperta", da letra de "Chovendo na roseira", também se tomou de fúria destruidora ao se lançar no vasto rio de águas (não mais) calmas. E, em vez da "chuva boa,/ criadeira,/ que molha a terra,/ que enche o rio,/ que lava o céu,/ que traz o azul", veio aquela que, com a ajuda da imprevidência humana, mata, arrasa e leva embora.

Tom via a chuva como uma força benigna, regeneradora. Outro exemplo está na letra de "Correnteza": "Depois da chuva passada/ Céu azul se apresentou/ Lá à beira da estrada/ Vem vindo o meu amor...". Não que ele desprezasse a força da natureza quando provocada: "Cadê meu caminho, a água levou/ Cadê meu rastro, a chuva apagou/ E a minha casa, o rio carregou", escreveu em "Passarim".

Tom bem que fez a sua parte. Ao assumir a direção do sítio, que era de seu padrasto, por volta de 1970, propôs-se a ressuscitar a mata nativa da região, já quase toda destruída. Recuperou metade dela. Acordava cedo para cuidar da horta, do pomar e do jardim. Atraiu pássaros, lagartos e mamíferos, para tê-los como vizinhos. Sua mulher, Ana, o fotografou inúmeras vezes no meio daquilo tudo. Mas não houve tempo para que aquela terra, tão rica de música e poesia, se salvasse da correnteza cega e surda.

Tom entre nós

Quando me lembro de Tom Jobim, que nos deixou aos 67 anos e hoje teria passado dos noventa, fico me perguntando sobre o que ele acharia das coisas se ainda estivesse entre nós. Tom era um observador atento e opiniático dos assuntos de seu interesse — o Brasil, o Rio, o Jardim Botânico, a Mata Atlântica, os céus, as águas, a língua portuguesa. Era muita coisa. Política? Não parecia tomar conhecimento. O único político a quem o ouvi referir-se foi a então prefeita de São Paulo, Luiza Erundina, mas para dizer, rindo: "Dizem que fiquei parecido com ela, não?".

Ele constataria, contente, que sua luta pela ecologia, que tantos aborrecimentos lhe causara, pegou. O Brasil continuou a matar bichos, florestas e rios, mas agora há, pelo menos, uma grita contra isto. Tom não estaria mais sozinho em sua cruzada. Mas como ele reagiria ao saber que seu sítio Poço Fundo, em São José do Vale do Rio Preto (RJ), onde passava temporadas, foi levado pela enchente de 2011 — inclusive seu pianinho de parede, com todas as notas que lhe renderam canções como "Dindi", "Inútil paisagem", "Águas de março" e "Chovendo na roseira", feitas ali?

E há as transformações urbanas, as mudanças na sua cidade. Seus velhos points no Leblon, como a Farmácia Piauí, a Plataforma, a Cobal, mudaram de bandeira, de dono ou de cara. O bairro foi ocupado pelos turistas, e ele não teria mais sossego para tomar uma média com pão na chapa, em pé, no balcão, na Confeitaria Rio-Lisboa (e muito menos estacionar seu carro ali em frente), como fez uma vez comigo. Ele se orgulhava de o Rio ser "uma cidade que possui uma floresta". Mas, dizia, só possui porque d. Pedro II a plantou de novo, depois que os homens levaram duzentos anos destruindo-a, plantando café.

Estivesse hoje por aqui, Tom sofreria a perda de pessoas que amava, como sua irmã Helena, sua amiga Miúcha, os pescadores Tico Soledade e Kabinha, o romancista João Ubaldo Ribeiro, os atores Antonio Pedro e Hugo Carvana, seu quase irmão Alberico Campana.

E não sei se sobreviveria à morte de seu filho João Francisco, aos dezenove anos, em 1998, num acidente de carro.

Eu fico

Certa vez, em 2015, Leny Andrade interrompeu seu show numa casa noturna em Ipanema para falar dos românticos anos 70. Eram os tempos em que ela saía da boate onde cantava, ali perto, às quatro da manhã, e voltava a pé para casa, pelas ruas desertas. "Hoje, isso é suicídio", completou. Na plateia, ouviram-se suspiros de saudade por aqueles tempos, bons tempos, sem sustos e sem violência. Em seguida, Leny retomou o show e cantou: "Rua Nascimento Silva, 107/ Eu saio correndo do pivete/ Tentando alcançar o elevador...". Era "Carta do Tom", de 1977, a resposta de Tom Jobim à saudosista "Carta ao Tom 74", de Vinicius e Toquinho. Leny não se deu conta da contradição.

Afinal, os anos 70 eram ou não os bons tempos? Como Leny podia voltar a pé para casa de madrugada se, naquela época, segundo Tom, já não se saia à rua sem ser assaltado pelo pivete? Donde concluo que os anos 70 foram mesmo os bons tempos, mas só quando vistos pela óptica dos anos 2000 — porque, enquanto rolavam, fazíamos péssimo juízo deles. Eu me pergunto o que, em 2030, acharemos do Rio de 2015.

Uma pesquisa revelou há pouco que, alegando a violência, 56% dos cariocas gostariam de ir embora do Rio. Tudo bem, mas para onde? Outra pesquisa recente, tabulada pelo Fórum Brasileiro de Segurança Pública, classificou o Rio em quinto lugar entre as capitais menos violentas do país, tendo à sua frente apenas São Paulo, Florianópolis (SC), Boa Vista (RR) e Campo Grande (MS). É para uma dessas quatro que devemos fugir, portanto. Mas eu fico. Não faz sentido ir para nenhuma das outras 22 se são mais violentas que o

Rio — e que, embora os jornais não falem, devem ter populações em pânico.

Há pouco, os jornais deram destaque a uma jovem que teve seu celular roubado no Arpoador. Ao *Globo*, ela desabafou: "Arpoador, nunca mais". Certo. Por coincidência, na página ao lado, o jornal noticiou um baita arrastão num prédio de luxo no bairro de Moema, em São Paulo. Foram levados joias, dinheiro e computadores de vários apartamentos, e até o papagaio de um morador. E nenhum dos assaltados saiu dizendo "Moema, nunca mais".

O carioca é assim mesmo. Muito afobado.

Bom era antes

Já contei esta história. Em 2015, uma cantora da bossa nova interrompeu seu show para se referir ao Rio dos anos 70 como a cidade "ainda maravilhosa", em que ela podia sair da boate ao fim do show, de madrugada, e voltar a pé para casa, em Ipanema, "de olhos fechados". Em seguida, retomou o repertório e cantou "Carta do Tom", do pelo visto terrível ano de 1977, em cuja letra Tom Jobim dizia: "Rua Nascimento Silva, 107/ Eu saio correndo do pivete/ Tentando alcançar o elevador...". Uma canção dos anos 70 — mas, então, a cidade não era "ainda maravilhosa"?

Parece que não. Naquela época, dizia-se que a Cidade Maravilhosa, dos famosos anos dourados, era o Rio dos anos 60, aquele em que Ipanema, segundo Vinicius, "era só felicidade". Mas, para o exigente jornalista Paulo Francis, os anos 60 não eram nada disso. A decadência, dizia ele, começara justamente em 1960, com a transferência da Capital Federal para Brasília. Para Francis, o Rio só tinha sido bom até 1959, quando ele ainda podia flanar pela noite entre os palácios art déco de Copacabana com Antonio Maria e Ivan Lessa. Ali, sim, rica e sofisticada, dizia Francis, o Rio era a Cidade Maravilhosa.

Mas, ao pesquisar sobre Carmen Miranda, morta em 1955, li várias entrevistas de amigos de Carmen lembrando-se de que a tinham conhecido em 1930, "quando o Rio ainda era a Cidade Maravilhosa". Quer dizer que o Rio de 1955 já não era a Cidade Maravilhosa, e sim o de 1930?

Daí, ao recuar para 1930, encontrei um artigo de Di Cavalcanti queixando-se da "destruição do Rio", principalmente da então

45

quase virgem Copacabana, pelos edifícios que estavam construindo nela — justamente os palácios art déco que, um dia, iriam empolgar Paulo Francis. Para Di Cavalcanti, o Rio paradisíaco era o da juventude dele, por volta de 1915, com uma Copacabana ainda areal, pré-Copacabana Palace. Mas esse Rio de Di seria mesmo paradisíaco? Pois, no mesmo 1915, Lima Barreto já estava esbravejando contra a superurbanização da cidade, o desmonte dos morros e a inocência perdida com o bota-abaixo do prefeito Pereira Passos em 1904. Bom era antes, no tempo dos pardieiros e das ruelas, da febre amarela e da peste bubônica.

E por aí vai. O carioca não se contenta, e não é de hoje. Aliás, no tempo de Estácio de Sá, morto em 1567 por uma flecha perdida, o pessoal já reclamava.

Clássicos da ditadura

Foi em 1968, na final de um Festival da Canção. A vitoriosa "Sabiá" estava sendo vaiada por 15 mil bocas no Maracanãzinho — e aplaudida por, se tanto, 10% disso. A malta não se conformava com que a guarânia de Geraldo Vandré, "Caminhando (Para não dizer que não falei de flores)", com sua letra explosiva, perdesse para "aquela modinha" de Tom Jobim e Chico Buarque.

Quando os aturdidos Tom e Chico e as irmãs Cynara e Cybele adentraram o palco para defender "Sabiá", alguém soltou dois sabiás na plateia. A intenção era boa, mas as pobres aves voaram em direção às luzes e, desorientadas, deram um rasante sobre os torcedores de "Caminhando". Foram capturadas e despedaçadas. Naquela noite, os sabiás eram a alienação, o conformismo e a passividade diante da ditadura. Na impossibilidade de estrangular o ditador Costa e Silva, tinha-se de destroçá-las. Mais fácil, também.

Vandré, ao se ver derrotado, tentou consolar o público com uma frase de efeito: "A vida não se resume a festivais" — embora os festivais fizessem grande parte da sua vida, já que ele disputava dois ou três por ano. Nelson Rodrigues, assistindo pela TV, constatou que o rosto de Vandré, em close, não disfarçava o travo de despeito. Nelson achou aquilo feio. "Fosse outro", ele escreveu, "ligaria empolgado para a mãe: 'Mamãe! Mamãe! Tirei o segundo lugar! Tirei o segundo lugar!'"

Ao contrário do que a posteridade daria a entender, os estudantes de 1968 não saíam às ruas nas passeatas cantando "Caminhando" ou qualquer outra. As passeatas eram uma guerra, e quem cantava nelas era a borracha da polícia nas costas dos rapazes e das moças. É verdade que, às vezes, alguns desses rapazes e moças se cantavam mutuamente depois que a passeata terminava e o perigo havia passado — fazia-se muito amor depois da guerra.

Mas a ditadura durou o suficiente para fazer de "Caminhando" um clássico do panfleto, assim como "Sabiá" se tornaria o hino dos exilados. A música popular tinha essa força — fornecia-nos uma grande trilha sonora e nos fazia acreditar que éramos astros e estrelas dos nossos próprios filmes. Aliás, éramos.

Para principiantes

Uma frase muito repetida há algum tempo, "O Brasil não é para principiantes", já entrou para a categoria de móveis e utensílios da língua. Quando isso acontece com uma frase, sua autoria se torna secundária — embora, no caso, essa autoria seja tão ilustre que citá-la lhe empresta ainda mais autoridade: Tom Jobim.

Tom não tirou essa frase do nariz. Era uma blague com o título de um livro, *Brasil para principiantes*, de um húngaro radicado no Rio, Peter Kellemen, lançado em 1961 pela Civilização Brasileira, a editora de maior prestígio na época. Tratava-se de um apanhado minucioso, hilariante e quase sempre exato dos pequenos golpes e vigarices que os brasileiros — para ele, uma massa de corruptos benignos — aplicavam uns nos outros para ir levando a vida. Houve quem se revoltasse com esse retrato tão cru do Brasil feito por um estrangeiro, mas até eles compraram o livro, que vendeu dezenas de milhares de exemplares. Kellemen se dizia diplomata ou médico, dependendo do freguês, mas sua real ocupação era a de pilantra. Se qualquer leitor de seu livro já se daria bem ao se orientar por ele, pode-se imaginar o que o próprio Kellemen não tinha na manga. E ele não se fez de rogado.

Com a notoriedade provocada pelo livro, Kellemen lançou um concurso maroto chamado Carnê Fartura, boletos que custavam uma mixaria e concorriam a sorteios milionários. Voluntários venderam o Carnê Fartura por todo o país, e papalvos sem conta o compraram. Nunca se soube de alguém que tenha sido sorteado. Quando a bolha estourou, Kellemen, milionário, fugiu para a Bolívia e sumiu de cena. Tinha feito o Brasil de principiante.

Mas isso não invalida a frase de Tom. Num lugar em que, como ele dizia, traficantes cheiram, prostitutas gozam, o dinheiro é de cabeça para baixo, o país inteiro se equilibra naquela pontinha do Chuí e, para se manter no poder, políticos de esquerda se juntam aos de direita e vice-versa, o Brasil pode ser para qualquer um, menos para principiantes. Ou para pessoas com muitos princípios.

País sem pianos

Notícia recente alertou para um fato preocupante: a queda a quase zero no interesse pelo piano entre os jovens brasileiros. Em vários estados, concursos destinados a formar futuros pianistas estão deparando com um número insignificante de inscrições. E não se trata de desinteresse pela música, porque outros instrumentos, adivinhe quais — guitarra, teclado e bateria —, continuam prestigiados.

O Brasil e o piano têm uma bela história juntos. Os dois conquistaram seu espaço quase ao mesmo tempo, no começo do século XIX: o piano, sobre o cravo; o Brasil, sobre a sua condição de colônia. D. Pedro I possibilitou as duas coisas: deu-nos a Independência e era pianista, inclusive compositor — vide o magnífico livro de Rosana Lanzelotte, *Já raiou a liberdade*, sobre o músico-imperador. Em pouco tempo, o piano tornou-se um móvel obrigatório nas casas brasileiras, tanto quanto o toucador e a escarradeira. E fez também com que muitos escravizados que aprenderam a tocá-lo tivessem algum acesso aos salões.

Desde então, num país em que o violão parecia onipresente, a grande música popular brasileira, do ponto de vista do compositor, sempre passou pelo piano. É só citar, por ordem de entrada em cena, Chiquinha Gonzaga, Aurelio Cavalcante, Ernesto Nazareth, Augusto Vasseur, Freire Junior, Eduardo Souto, Zequinha de Abreu, Sinhô, Ary Barroso, Joubert de Carvalho, Custodio Mesquita, Tia Amélia, Vadico, Alcyr Pires Vermelho, José Maria de Abreu, Radamés Gnattali, Johnny Alf, João Donato, Tom Jobim, Newton Mendonça, Marcos Valle, Francis Hime, Antonio Adolfo. E há também os pianistas-arranjadores, os pianistas-solistas, os pianistas-acompanhadores.

Um motivo para o declínio do piano nas casas brasileiras pode ter sido a verticalização das cidades — não é fácil transportar um piano para o décimo andar. Outro pode estar no fato de que leva mais tempo para formar um pianista do que um médico ou engenheiro, sem nenhuma garantia de que, ao contrário destes, ele um dia possa viver das teclas. Mas todo estudante de piano precisa chegar a profissional? A educação musical, por si, não deveria ser suficiente?

Tom Jobim me disse que foi o piano que fez o homem acabar de descer da árvore — o próprio piano era um produto dessa árvore. No futuro, sem pianos, a volta à árvore talvez seja o nosso destino. Enquanto houver árvore.

Perdidos na zona fantasma

Tom Jobim tinha dois pianos de cauda em sua casa no Jardim Botânico, outro em seu apartamento em Nova York, de frente para o Metropolitan, e um modesto, de parede, em seu sítio em São José do Vale do Rio Preto. Estou certo de que foram preservados por sua família, exceto o do sítio, levado na correnteza que, em duas horas de chuva em 2011, destruiu a casa. Se até os chapéus de palha de Tom são hoje objetos de reverência, calcule seus pianos.

Já João Gilberto não parece ter deixado muita coisa no flat onde morava, de aluguel, no Leblon. Ouvi falar de uma gaveta cheia de pijamas, um exemplar do LP *Chega de saudade*, de 1959 (que dividiu a sua vida e a nossa em antes e depois), e, na garagem, um carro (sem gasolina). Mas, pelo que sei, João Gilberto deixou o mais importante: seus violões, um deles, o Tárrega, exemplar único que a Di Giorgio fabricou para ele, em 1969. Um violão exclusivo de João Gilberto, já pensou? Tudo isso, claro, fica em segundo plano diante do milionário processo por direitos autorais que ele abriu contra a EMI e, tantos anos depois, ganhou. O dinheiro será dividido, creio que fraternalmente, entre os herdeiros. Mas quem levará o Tárrega?

O piano de Ernesto Nazareth está no Museu da Imagem e do Som, aqui no Rio. Mas para onde foi o de Chiquinha Gonzaga? O sambista Sinhô, no fim da vida, já não tinha piano — "tocava" num teclado de cartolina, com as notas desenhadas a lápis. Já os pianos de Ary Barroso, Radamés Gnatalli e Dick Farney ficaram, quero crer, com seus próximos. E o de Newton Mendonça, parceiro de Tom em "Samba de uma nota só"?

Com quem terá ficado o violão de Lucio Alves, mestre de João

Gilberto, morto em 1993? E os de Sylvio Caldas, Luiz Bonfá e Dilermando Reis, monumentos do instrumento no Brasil? E o de Noel Rosa? Este é bem provável que tenha ido para um prego, de onde nunca foi resgatado. E em que museus estarão as flautas de Benedicto Lacerda, Altamiro Carrilho e Copinha? A clarineta de Luiz Americano? O sax-soprano de Ratinho? A gaita de Edu da Gaita? Que eu saiba, em museu nenhum.

No Brasil, com exceções, não somos bons em preservação. Aqui é raro o instrumento de um grande músico passar para outro músico, igualmente grande, que saberia protegê-lo e valorizá-lo. O normal é que, com a morte do artista, seu instrumento desapareça com ele e vá para uma zona fantasma, condenado à mudez eterna.

Os LPs são inocentes

Já me penitenciei muitas vezes por ter poluído sem querer o planeta com os milhares de LPs que levei a vida comprando, tocando, trocando, passando adiante e comprando de novo. O vinil de que eles eram feitos é um plástico, e o plástico, como se sabe, é o pior inimigo dos rios, dos mares e de seus habitantes. Pensei num oceano coalhado de LPs, assim como existem os coalhados de fraldas. Mas meu amigo João Augusto, veterano fabricante de discos — dono da gravadora Deckdisc e da Polysom, esta, até há pouco, a única fábrica de LPs do país —, me tranquilizou: "Os discos de vinil nunca foram descartados. Eram reciclados. Não há LPs nos lixões e lixeiras".

É verdade. À luz do que disse João Augusto, vasculhei a memória e constatei que nunca joguei fora um LP. E olhe que, como jornalista desde os anos 60, houve época em que recebia discos todos os dias. Não havia prateleiras que chegassem. Os que não me interessavam eram dados aos amigos (em alguns casos, aos inimigos) ou largados num canto. Um dia, iam para as lojas de discos usados, num saco com os discos baleados, arranhados, com capas rasgadas. Nos sebos, poderiam conquistar novos donos, como eu próprio fazia ao comprar discos descartados por outros.

Metade do que tenho ainda hoje de LPs são discos usados, comprados nas extintas Moto Discos, no Rio, Marché, em São Paulo, e outras de todo o país. Já achei grandes discos em sebos de livros, em casas de americanos de volta para seu país (vendiam tudo, inclusive batom pela metade) e até empilhados na porta de uma tinturaria.

Tudo bem, mas para onde iam os discos que encalhavam nas gravadoras? Tais encalhes significavam pilhas do chão ao teto em seus depósitos. O que faziam com aquilo? Pois nem eles eram jogados fora. Eram derretidos para fabricar novos LPs. Daí, como saber do que tinha sido feito originalmente um LP zerinho, comprado fechado na loja? Eu me pergunto se minha rica edição brasileira original do *Wave*, de Tom Jobim (o da girafa na capa), não terá sido, numa encarnação anterior, o disco com um iê-iê-iê chamado "O tijolinho" ("Você é meu amorzinho/ Você é meu amorzão/ Você é o tijolinho/ Que faltava na minha construção").

Hoje não há mais esse risco. Os atuais LPs se orgulham de ser fabricados com vinil virgem, de 180 gramas. Mas tem uma coisa. Já que eles se vendem como discos especiais, que não serão reciclados, a música gravada neles precisa fazer jus a essa eternidade.

Agora é cinza

Minha amiga Ira Etz, musa do Arpoador nos anos 50 e 60, mandou-me uma foto que tirou no Jardim Botânico. Ao enroscar--se ao pé da sumaúma — a monumental árvore na praça do chafariz, famosa por ter sido a favorita de Tom Jobim e que exige uma multidão de mãos dadas para ser abraçada —, Ira encontrou sobre as raízes um pó amarelado. Logo o identificou: eram cinzas funerárias, provenientes de cremação. De propósito ou não, alguém despejara o pai ou a mãe ali. Ira fotografou o pó sobre as raízes.

No Rio e em São Paulo, o número de cremações já arrisca superar o de sepultamentos. O que talvez seja uma coisa boa. Cremar sai mais em conta; os cemitérios estão superlotados e, de tempos em tempos, o que sobrou de seus habitantes é removido com pá para dar lugar a outros. Já o destino das cinzas em uma urna pode ter um caráter mais rico e simbólico do que o de um simples enterro.

Não foi bem o caso do rolling stone Keith Richards, que vazou para a imprensa que, tendo farta variedade de pós a escolher, cheirou por engano o próprio pai. Como a história não pegou bem, ele a desmentiu. Ou o do escritor Ambrose Bierce (1842-c. 1913), autor do *Dicionário do diabo*, que contou ao jornalista H. L. Mencken que mandara cremar o filho, morto naquela semana. Ao ser indagado por um compungido Mencken se depositara as cinzas numa bela urna, respondeu: "Que urna? Estão aqui, nessa caixa de charutos!".

Não há problema em alguém dar o destino que quiser ao corpo de um ente querido. A viúva do contrabaixista Charles Mingus foi de Nova York à Índia para atirar as cinzas de Mingus no rio Ganges, como ele pedira — e tanta gente está fazendo isso que o Ganges corre o risco de assorear. Eu próprio já despejei, a pedidos, o conteúdo de uma ou duas urnas nas águas do Arpoador. Há pouco, outra amiga jogou as cinzas de sua mãe na praia do Leblon. Ao contato com a água e o sol, elas ganharam um brilho de cristal e lentamente se confundiram com o mar. Foi bonito.

Mas, perguntou alguém, não haverá uma desconsideração em despejar o falecido onde as pessoas se espalham, pisam ou se sentam, como na árvore que, graças a Tom, é a mais visitada do Jardim Botânico? Acho que não. Ninguém poderá reclamar por ter ido para tão nobre endereço final.

Saudades do Brasil

Mais um conhecido meu se mudou para Portugal. Nos últimos anos foram dezenas. Ao perguntar-lhes por que estavam se mandando, cada um deu uma razão profissional, econômica ou pessoal. Um deles queria saber como seria morar na terra de seu bisavô. Não se convenceu quando eu lhe disse que Portugal não é mais a terra de seu bisavô nem do bisavô dos próprios portugueses. Por trás das explicações, no entanto, eu ouvia a mesma resposta: desencanto, cansaço e até nojo do Brasil. E com razão: durante anos, o Brasil abusou da nossa fé.

Sair do país significa ficar longe das nossas grosserias, crises e esculhambações. O problema é que, ao nos mudarmos para outro país, levamos o Brasil conosco. Ou, pelo menos, levávamos. Em 1973, por todos aqueles motivos e mais a ditadura sob Médici, eu próprio caí fora e, por acaso, também fui para Portugal.

Os brasileiros que encontrei em Lisboa sentiam falta de feijão, café e guaraná. Outros eram carentes de Continental sem filtro, bombom Sonho de Valsa e sabonete Phebo. Alguns me perguntavam baixinho e salivantes se eu trouxera um exemplar da *Manchete* com a cobertura do Carnaval do Monte Líbano. Na era pré-global, esses artigos de primeira necessidade do brasileiro eram difíceis de encontrar lá fora.

Ficar longe do Brasil sempre foi um problema. Em 1942, chamado a Hollywood por causa de "Aquarela do Brasil", Ary Barroso foi convidado a ficar por lá, fazendo música para filmes e ganhando milhões. Mas recusou: "Aqui não tem o Flamengo". O poeta e diplomata Ribeiro Couto, louco de saudades depois de décadas na Europa, só sossegou em 1949, quando lhe levaram em Belgrado, onde servia, o disco de "Chiquita Bacana", com Emilinha Borba, e uma compota de bacuri. Couto escutava Emilinha enquanto comia o bacuri, tendo espasmos de gozo. E Tom Jobim, que passou boa parte de 1963 e 1964 em Nova York e Los Angeles sem vir ao Brasil, não suportava mais comer batata no almoço e no jantar. Então descobriu que, se fizesse amizade com os cozinheiros dos restaurantes, todos porto-riquenhos, eles lhe serviriam por fora o arroz que cozinhavam para eles.

Em Lisboa, eu também, igualmente farto de batata, só pensava no sanduíche de salada de ovo do Bob's. Um ano depois, voltei de férias ao Rio e fui correndo ao Bob's para comer um. Mas eles tinham parado de servi-lo. O Brasil é assim. Você vira as costas e ele te faz uma falseta.

Haja placas!

Mesmo sem conhecer o Rio, quem não sabe que foi na rua Nascimento Silva, 107, que Tom Jobim ensinou "pra Elizeth/ As canções de *Canção do amor demais*"? O endereço está em "Carta ao Tom 74", em que Vinicius de Moraes relembra sua parceria com Tom no famoso disco de Elizeth Cardoso. Mas e se algumas daquelas canções tiverem sido ensaiadas na casa de Vinicius? Onde ele morava? Na avenida Henrique Dumont, 15, também em Ipanema, onde hoje há um edifício. E onde moravam Tom e Vinicius quando fizeram "Garota de Ipanema", em 1962? Tom, na rua Barão da Torre, também 107, e Vinicius, na rua Paulo César de Andrade, 106, no Parque Guinle, em Laranjeiras. Assim como o da rua Nascimento Silva, esses endereços mereciam a plaquinha azul que a prefeitura do Rio está aplicando às fachadas históricas da cidade.

Falando em bossa nova, que tal uma placa na fachada do Villarino, o restaurante na avenida Calógeras, 6, na Esplanada do Castelo, onde, em 1956, Tom e Vinicius formalizaram sua parceria? Ou no número 277 da avenida Rio Branco, Edifício São Borja, onde ficava o estúdio da Odeon, em que João Gilberto gravou "Chega de saudade" em 1958? Ou no número 16 da microrrua Fernando Osório, no Flamengo, onde ficava a sede do Grupo Universitário Hebraico, palco do primeiríssimo show de bossa nova, com a já consagrada Sylvia Telles? E o número 2856, Edifício Palácio Champs Élysées, na avenida Atlântica? Era o do apartamento de Nara Leão.

Onde morava Nelson Rodrigues quando escreveu *Vestido de noiva*, em 1943? Na rua Eduardo Raboeira, 38, travessa da rua Barão do Bom Retiro, no Engenho Novo. E quem conhece esses dois surpreendentes endereços de Ipanema? O 476 da avenida Vieira Souto era o de João do Rio ao morrer, em 1921. E o 636 da rua Barão da Torre foi onde Luiz Carlos Prestes e Olga Benario se esconderam no levante comunista de 1935. Surpreendentes porque nem João do Rio nem Prestes pareciam nomes associados a Ipanema. Mas Ipanema era assim.

Como mandar uma carta para Graciliano Ramos? Para a rua Belisário Távora, 480, em Laranjeiras. E para José Lins do Rêgo? Rua General Garzón, 10, no Jardim Botânico. E para Dorival Caymmi? Avenida Delfim Moreira, 952, no Leblon. E para Di Cavalcanti? Rua do Catete, 222. E para Pixinguinha? Rua Pixinguinha, 23, em Ramos.

Haja placas!

Endereços com história

Só se soube muito depois e, mesmo assim, por uma coluna de jornal. A bela casa em forma de navio na rua Codajás, na fronteira Gávea-Leblon chamada Jardim Pernambuco, tinha sido posta abaixo. Derrubaram-na em segredo e em silêncio. Em seu lugar surgiu outra casa, talvez mais moderna, mas sem o mesmo charme. A casa original tinha história: Tom Jobim morou nela durante toda a segunda metade dos anos 60.

Conheci essa casa de Tom. Foi nela que ele me recebeu, em março de 1968, para uma entrevista para a revista *Manchete*, em que eu trabalhava como repórter. Foi dela também que Tom saiu para gravar em Los Angeles um LP com Frank Sinatra. E foi também nela que ele compôs "Wave", "Sabiá", "Retrato em branco e preto" e finalizou "Águas de março". Só isso justificaria o seu tombamento.

Por sorte, outro importante endereço de Tom continua de pé e ao alcance dos turistas: o predinho da rua Nascimento Silva, 107, típico da velha Ipanema, onde ele morou nos anos 50. De certa maneira, ali nasceu o Velho Testamento da bossa nova — foi onde Tom compôs as pioneiras "Se todos fossem iguais a você", "A felicidade", "Chega de saudade", "Dindi", "Fotografia", "Brigas nunca mais" etc., e todas as canções de *Canção do amor demais*, lançadas por Elizeth Cardoso.

Já a casa da rua Barão da Torre, por acaso também 107, para onde ele se mudou em 1960, não teve essa sorte. Quando Tom saiu de lá, em 1965, ela se converteu numa escola, depois num simpático hostel, e seria perfeito se assim continuasse. Mas, em 2021, levaram-na ao chão com as marretas. Meu amigo Cristiano Grimaldi ficou sabendo que iam demoli-la e agiu depressa. Correu até lá e, já em meio à montanha de entulho, pediu para falar com o responsável. Perguntou-lhe se poderia levar dois tijolos do que fora a casa. O homem achou estranho, mas preferiu não o contrariar, sabe-se lá. Concordou, e Cristiano saiu gloriosamente com eles dentro de um saco.

Um dos tijolos está em seu apartamento em Ipanema. O outro, graças à sua generosidade, enfeita um móvel daqui de casa. Vejo esse tijolo a todo momento e, quando passo por ele, é como se fosse uma minicaixa de som, tocando em surdina certos sons que nasceram quando ele ainda fazia parte das paredes: as notas de "Corcovado", "Ela é carioca", "Samba do avião", "Só danço samba" e — como se chamava mesmo? — "Garota de Ipanema".

O painel redivivo

Imagine sentar-se a uma mesa para tomar um uísque tendo atrás de si, na parede, um painel com poemas de Vinicius de Moraes e Paulo Mendes Campos e frases de Antonio Maria, rabiscados pelos próprios; barquinhos pintados por Pancetti, talvez com o batom vermelho de Dolores Duran; uma pauta com a melodia de "Aquarela do Brasil", por Ary Barroso; o autógrafo de Pablo Neruda; desenhos de Di Cavalcanti, Antonio Bandeira e Carlos Thiré, e garatujas de Sergio Porto, Lucio Rangel, Fernando Lobo, Haroldo Barbosa, Aracy de Almeida e Dorival Caymmi a caneta, giz ou lápis. E tendo à sua volta os citados acima, em carne, osso e copo na mão.

Nos anos 50, esses artistas, escritores e jornalistas se reuniam nos fundos do Villarino, uma uisqueria na esquina das avenidas Calógeras e Presidente Wilson, no centro do Rio, quase em frente à Academia Brasileira de Letras. Como todos trabalhavam ali perto, o Villarino era para onde eles convergiam no fim da tarde, à espera de que o trânsito para a Zona Sul desafogasse. Foi lá, em maio de 1956, que, aconselhado pelo jornalista Lucio Rangel, Vinicius convidou o jovem Tom Jobim a escreverem juntos música e letra para uma peça de teatro. Dali resultaram o musical *Orfeu da Conceição*, a bossa nova e todo um novo mundo — pense nos milhares de artistas, famosos e anônimos, que surgiram em consequência do convite de Vinicius.

Anos depois, por ignorância, sem noção do valor daqueles autógrafos na parede, os proprietários do Villarino cobriram de tinta azul o painel, destruindo-o. Também por coincidência ou castigo, o esvaziamento noturno do centro do Rio naquela época atingiu o Villarino, e seus habitués sumiram. Mas o Villarino, bravamente, não morreu. Aguentou firme, esperou pela chegada de novas levas de clientes e, desde os anos 80, em melhores mãos, voltou a atrair profissionais da música e da palavra para suas mesas. Pena que o painel fosse então só uma memória.

Em 1990 descobri uma fotografia do antigo Villarino, em que aparecem Vinicius, Paulo Mendes Campos, Fernando Lobo e outros grandes frequentadores — e, atrás deles, o famoso painel. Emprestei a foto a Rita e Antonio, os novos proprietários. Eles mandaram fazer uma superampliação e aplicaram-na à parede. Pois lá está hoje, na sua parede original, só que em fotografia, uma parte do painel. Os clientes sentam-se diante dele e é como se estivessem bebendo com Vinicius. Ele iria adorar.

2
AS BOAS HISTÓRIAS

De como Tom salvou João

Ao ouvir a notícia, João Gilberto não acreditou: Frank Sinatra convidara Tom Jobim a fazerem um disco juntos — e Tom não o chamara para participar. Não era possível. Ele não podia ficar fora desse disco, não havia hipótese. Os dois eram um, sem eles não existiria a bossa nova. E as dezenas de vezes que, fascinados, tinham ouvido juntos Sinatra na vitrola? Afinal, quando haviam trabalhado com um americano, Stan Getz, o cantor era ele, João, com Getz ao sax-tenor e Tom ao piano.

Infelizmente, no caso de Tom gravar com Sinatra, isso não foi sequer cogitado. Como Tom poderia chamar João Gilberto? O disco não era dele, era de Sinatra. Além disso, se o dono do disco é Frank Sinatra, quem precisa de outro cantor? Para aumentar a agonia de João Gilberto, Sinatra dissera a Tom que o queria ao violão, não ao piano. Tom foi sincero com Sinatra: seu instrumento era o piano, o violão era só para o gasto. Mas Sinatra alegou que, com sua estampa de galã, Tom era um *latin lover* e, para as moças americanas, *latin lovers* tocam violão. Tom não discutiu — alguém vai discutir com Sinatra?

Ao saber disso, João Gilberto subiu pelas paredes, com violão e tudo. Como Tom podia se atrever a acompanhar Sinatra ao violão se o violonista da bossa nova, o inventor da batida, era ele? Só que, mais uma vez, Tom não tinha escolha. Além disso, Tom ainda se lembrava de como, em 1963, durante a gravação do LP *Getz/Gilberto*, João chamou Stan Getz de burro várias vezes e, quando Getz perguntava a Tom o que João estava dizendo, era obrigado a mentir: "João disse que é isso mesmo, Stan, que está ótimo!". Pois imagine se, em meio a uma delicada interpretação de "Dindi" por Sinatra, João desaprovasse a inflexão, a divisão rítmica ou qualquer coisa do homem e, entredentes, o chamasse de burro. Os microfones captariam aquilo, e como seria? Frank poderia mandar seus amigos italianos levarem João lá fora e lhe quebrarem os dois braços. E como ele iria tocar "O pato" sem braços?

Para João Gilberto, só faltava agora Tom *cantar* com Sinatra! Ele não ousaria. Mas Tom não apenas tocou violão com Sinatra, como Sinatra o fez cantar com ele em várias faixas do disco, e juntos gravaram aqueles especiais de TV que correram o mundo e consagraram "The Girl from Ipanema".

Foi cruel. Mas João Gilberto não tinha do que se queixar. Afinal, graças a Tom, ficara com os dois braços intactos.

A prova do sonho

Arrematei por uma ninharia num leilão um LP: *Francis Albert Sinatra & Antonio Carlos Jobim*. É o disco de 1967 em que Frank Sinatra canta as canções de Tom, acompanhado pelo próprio ao violão e cantando. Não é um vinil difícil de encontrar. A versão nacional abunda nos sebos. Só que esse é o disco americano, importado, e mais raro por ser a versão em mono. Incrível como, até nos Estados Unidos em 1967, mesmo os discos de Sinatra vinham em versões mono e estéreo — prova de que o estéreo ainda não era universal. Mas o que torna esse objeto especial é o que vem escrito a tinta na contracapa. É uma dedicatória e diz o seguinte:

"Aos meus amigos Carmelia e Jimmy, para constatarem a realização de parte dos nossos sonhos, que faziam parte [sic] das nossas reuniões no Clube da Chave, onde todas as noites vocês, eu, João Gilberto, Dolores Duran, Jonny [sic] Alf, Nanai, Vinicius e Donato éramos constantes, lembram-se? Do seu Tom Jobim."

Carmelia e Jimmy eram os cantores Carmelia Alves e seu marido, Jimmy Lester, nome artístico de José Andrade Ramos. O Clube da Chave era uma boate no Posto 6 de Copacabana, exclusiva de cinquenta grã-finos, boêmios, jornalistas e seus convidados, os únicos que tinham a chave do lugar, daí o nome. Durou apenas dois anos, 1953-54. Tom, o desconhecido João Gilberto, Dolores, Johnny Alf, o violonista Nanai e o acordeonista João Donato eram alguns dos jovens músicos contratados que se revezavam no fundo musical, enquanto os boêmios entregavam-se ao uísque e às patuscadas. O poeta e diplomata Vinicius de Moraes ainda não cantava, só aplaudia. E, para Tom, gravar com Sinatra ou ser gravado por ele era um sonho que, de tão irrealizável, chegava a ser quase inconcebível.

Mas, em fins de 1966, seduzido pelas canções que Tom já despejara no mercado americano, Sinatra convidou-o a fazerem um LP para a Reprise, gravadora dele. Em três sessões, nas noites de 30 e 31 de janeiro e 1º de fevereiro de 1967, de 20h às 23h30, no estúdio Western Recorders, em Hollywood, gravaram-se as dez imortais faixas do disco. Apenas treze anos tinham se passado desde o Clube da Chave.

Tom não sabia, mas seus sonhos no Clube da Chave eram até modestos diante da realidade que o esperava.

Falsas boas histórias

Diz a lenda que, ao passar por Tom Jobim num estúdio, em 1956, Dolores Duran lhe perguntou que beleza era aquela que ele estava tocando ao piano. "É uma canção que estou finalizando", disse Tom. Dolores pediu que ele tocasse de novo. Conquistada pela melodia, tirou da bolsa o lápis de sobrancelha e escreveu, num lenço de papel, "Ah, você está vendo só/ Do jeito que eu fiquei/ E que tudo ficou...". O.k., agora tente você escrever, não uma letra como a de "Por causa de você", mas *qualquer coisa* com lápis de sobrancelha num lenço de papel. É impossível. A história é boa, mas, na vida real, Dolores foi para casa com a melodia na cabeça e escreveu a letra no maior sossego, em papel almaço, com uma caneta Parker e aplicando o mata-borrão.

Outra história muito melhor na lenda do que na vida real é a de que Tom e Vinicius de Moraes, bebendo num botequim de Ipanema em 1962, viram passar uma garota e, ali mesmo, sem piscar, Tom ao violão e Vinicius à caneta, fizeram "Garota de Ipanema". Mas terá sido assim tão fácil? Pode-se escrever em minutos a letra e a música de uma das canções mais gravadas do mundo? Além disso, era proibido tocar violão no Veloso, como se chamava então o botequim. A moça passou mesmo por ali, como fazia todos os dias, e eles a viram, mas Tom compôs a música ao piano em seu apartamento, na rua Barão da Torre, e Vinicius escreveu a letra, no de Lucinha Proença, sua mulher, no Parque Guinle, onde ele estava morando. E levaram um mês reescrevendo, polindo e retocando até dá-la por terminada.

Também não é verdade que, em 1963, ao receber um convite

para tocar no dia tal para o presidente Kennedy na Casa Branca, o violonista Baden Powell tivesse dito: "Não posso. Nesse dia tenho show no Zum-Zum". Ha, ha. Imagine alguém recusar a Casa Branca pelo Zum-Zum, uma humilde boate em Copacabana. Nem o desligado Baden faria isso. Para completar, sob Kennedy, os convites da Casa Branca eram feitos com meses de antecedência, e os shows do Zum-Zum, decididos quase de véspera.

E, embora ainda a contem, esqueça a história de que João Gilberto e Elba Ramalho jogaram buraco passando as cartas por baixo da porta, um de cada lado, João no quarto e Elba no corredor. Segundo consta, o que eles teriam passado por baixo da porta foi outra coisa.

São boas histórias, mas sem base nos fatos. Hoje, as histórias falsas se chamam fake news e não têm graça nenhuma.

Palavras em "al"

Quem conheceu a casa de Tom Jobim no Jardim Botânico, no Rio, não tinha como não se surpreender. Na estante da sala, poucos livros sobre música. Mas, ocupando as prateleiras, tomando a tampa do piano e empilhando-se sobre poltronas, viam-se livros e livros de poesia e dicionários. Dezenas de dicionários, em várias línguas e de todos os gêneros: analógico, etimológico, de sinônimos, de tupi, de folclore, de pássaros, da flora, da gíria brasileira.

Fazia sentido. As notas musicais, que Tom usava para trabalhar, já estavam todas na sua cabeça. Mas as palavras, sua verdadeira paixão, não podiam ficar soltas pela casa. O lugar delas era dentro dos livros, em forma de poema, ou dos dicionários, como exércitos de reserva, de plantão para o combate, para a esgrima das ideias. O fascínio pelas palavras dominava também boa parte das conversas de Tom em mesas de bar. E não importava muito o interlocutor.

No fundo, era como se Tom estivesse dialogando com as próprias palavras, mais do que com a pessoa à sua frente. Uma de suas fixações eram as palavras da língua portuguesa que começavam com "al". Juntando intuitivamente a linguística à história, Tom dizia que elas denotavam a presença árabe na península Ibérica e, em consequência, entre nós. Ele as ia enumerando: "Alarido, alaúde, alazão, albornoz, Albuquerque, alcachofra, alcaçuz, álcool, alcaide, alcaparra, alcateia, alcatifa…" — até que algum engraçadinho o interrompesse e metesse o gângster Al Capone entre elas. O que, claro, não tinha nada a ver. Tom apenas ria. Acho que ele desfiava esse rosário de "als" apenas para provocar a menção a Al Capone — e, se era assim, não fui o único a morder a isca.

Nem todas as palavras em "al" vieram diretamente do árabe. Uma delas, albatroz, veio do francês *albatros*, por intermédio do inglês *albatross*, o qual, por incrível que pareça, veio do próprio português "alcatraz", uma espécie de pelicano — e esta, sim, talvez seja proveniente do árabe *al-gattás*. O mundo é um moinho, não?

Aprendi essa história do albatroz outro dia e adoraria tê-la contado a Tom.

Antes dos 29

Aos 29 anos, em 1956, Tom Jobim já havia composto "Teresa da praia", com Billy Blanco, "Foi a noite", com Newton Mendonça, e "Se todos fossem iguais a você", com Vinicius de Moraes. Podia ser mais precoce? Com a mesma idade, Carlos Drummond de Andrade também já havia escrito que João amava Teresa que amava Raimundo que amava Maria, que no meio do caminho tinha uma pedra e que, ao nascer, um anjo torto lhe dissera: vai, Carlos, ser gauche na vida. Em 1954, Ferreira Gullar tinha ridículos 24 anos quando rachou ao meio a poesia brasileira com seu revolucionário poema-livro *A luta corporal*. E, aos 23, Jorge Amado já publicara *Jubiabá* (1935), aos 24, *Mar morto* (1936), e aos 25, *Capitães da areia* (1937).

Mas quem podia competir com Rachel de Queiroz, que estreou aos vinte anos com seu romance *O Quinze* (1930)? Só mesmo Clarice Lispector. *Perto do coração selvagem* saiu em 1943, quando ela estava com... dezoito anos.

Castro Alves teve só 24 anos de vida para construir sua obra inteira. Álvares de Azevedo, nem isso — morreu aos 21, pouco depois de fazer a *Lira dos vinte anos*. Manuel Antonio de Almeida também escreveu *Memórias de um sargento de milícias* aos vinte (e morreu aos trinta). Joaquim Manuel de Macedo, *A moreninha*, aos 24; José de Alencar, *O guarani*, aos 28; Lima Barreto, *Recordações do escrivão Isaías Caminha*, idem, aos 28; e João do Rio, *A alma encantadora das ruas*, aos 29. Naquele tempo, a turma começava cedo.

Aos 29 anos, Millôr Fernandes já era um nome consagrado tanto no texto quanto no desenho, e, com essa mesma idade, Paulo

Francis espalhava o terror no Rio como crítico de teatro. Glauber Rocha, que fora endeusado por *Deus e o Diabo na Terra do Sol* em 1964, aos 25 anos, já estava sendo contestado aos 28, por causa de *Terra em transe*, em 1967. Quanto a Dolores Duran, Leila Diniz e Cazuza, foram apenas alguns que fizeram tudo antes dos 29 e foram embora sem dizer adeus.

Era outro país e eram outros tempos. No Brasil do século XXI, sei de muito marmanjo que, aos 39 anos, continua morando com a mãe e, enquanto não sair de casa, não escreverá seu *Grande sertão: veredas*.

Últimas palavras

Em tempos de desesperança, como tantos que andamos tendo, apliquei uma receita infalível. Reli Alvaro Moreyra, principalmente *As amargas, não...*, suas memórias, de 1954. Ninguém amou tanto a vida e falou dela com tanta delicadeza. Vejo agora que Alvaro, que não cheguei a conhecer, era delicado também ao falar da morte. Nesse livro, ele sugere divertidos epitáfios que gostaria de ver gravados em seu túmulo — ao qual só chegaria dez anos depois. Eis alguns:

"Que silêncio, hein?", "Peço apenas migalhas de pão para os pardais", "Parei de rir. Parei de chorar. Morri?", "Não contem anedotas. Sei todas", "Sinto falta do mar", "Foi para isto então?", "Escutem, agora sou apenas uma alma. Sabem lá o que é isto?", "Não tenham mais medo. Já podem dizer todo o bem que sabem de mim", "O grande domingo!", "Realizei um sonho: a casa de campo", "Não tragam flores. Plantem uma roseira aqui", "Afinal, envelheci". E, típico dele, "Muito obrigado!" — como se agradecesse ao mundo por ter existido, quando o grande devedor nessa história era o mundo.

Não sei se um desses epitáfios foi adornar o endereço final de Alvinho, como o chamavam, no Cemitério São João Batista. As famílias nem sempre se lembram do que seus membros gostariam de dizer para a eternidade, e às vezes nem eles pensaram em algo a dizer. Talvez por isso, em 1976, dirigindo uma revista aqui no Rio, encarreguei duas ótimas repórteres, Cleusa Maria e Christina Lyra, de perguntar a algumas celebridades bem-humoradas o que elas gostariam de ler em seus futuros túmulos. Respostas:

Chacrinha: "Não quero choro nem vela". Rubem Braga: "De volta às cinzas". Juscelino Kubitschek: "Missão cumprida". Nelson Rodrigues: "Aqui jaz Nelson Rodrigues, assassinado por imbecis de ambos os sexos". Miele: "Aqui jaz, absolutamente contra a vontade, Luiz Carlos Miele". Jorginho Guinle: "Aqui jazz". Ivan Lessa: "Aqui, ó!". Chico Anysio: "E agora, vão rir de quê?". Paulo Gracindo: "Ingrata, já de branco, não é?". Carlinhos (Canal 100) Niemeyer: "Flamengo até morrer".

Ótimos epitáfios, embora, de certa forma, previsíveis. Mas houve um que sempre me embatucou. O de Tom Jobim: "Tu foste a única culpada". A quem ele se referia? Ligia, Luiza, Gabriela? Teresa da praia?

Nomes a percorrer de táxi

Em busca de certa informação, deparei outro dia com o nome de um funcionário do Itamaraty na Primeira Guerra Mundial que dizia ter namorado em Paris a espiã Mata Hari. Se Mata Hari (ou Mata, como a chamavam entre os lençóis) tivesse namorado todos os homens que lhe atribuíram, não sei onde acharia tempo para espionar. Mas o melhor era o nome do tal funcionário brasileiro: Luiz Felipe de Florambel Beaurepaire-Rohan Pinto Peixoto. Em seu cartão de visitas, perfumado a rosas, ele tomava duas linhas na classuda fonte Edwardian Script.

Para o crítico Agrippino Grieco, alguns nomes, de tão longos, "exigem um táxi para serem percorridos na íntegra". Estava nesse caso o verdadeiro nome de João do Rio: João Paulo Emilio Cristóvão dos Santos Coelho Barreto. E o do escritor Alvaro Moreyra? Alvaro Maria da Soledade Pinto da Fonseca Velhinho Rodrigues Moreira da Silva — até que ele mandou apagar todos esses sobrenomes em cartório, conservando apenas o Moreira, só que com um Y para representá-los, donde Moreyra. Perto desses, o nome completo de Olavo Bilac — Olavo Braz Martins dos Guimarães Bilac, um dodecassílabo perfeito, com a indispensável tmese na sexta sílaba — era até modesto.

Sabe quem foi Gilberto de Lima Azevedo Souza Ferreira Amado de Faria? O temido articulista, político e diplomata Gilberto Amado. E Adalgisa Maria Feliciana Noel Cancela Ferreira Nery? A poeta Adalgisa Nery, que esfarrapava corações nos anos 30 e 40. E José Geraldo Manuel Germano Correa Vieira Machado Drummond da Costa? O romancista José Geraldo Vieira, autor de *A mu-*

81

lher que fugiu de Sodoma. Hoje, esses escritores, poderosos durante boa parte do século XX, estão esquecidos, e seus nomes abreviados a zero.

Quem terá sido Oscar Lorenzo Jacinto de la Inmaculada Concepción Teresa Diaz? Era o imortal comediante Oscarito. E Lanfranco Aldo Ricardo Vaselli Cortellini Rossi Rossini? O amado cartunista Lan. E lembra-se de Sócrates Brasileiro Sampaio de Souza Vieira de Oliveira, o craque Sócrates, a cujo nome o colunista Telmo Martino ainda apunha um "de Orleans e Bragança", para fazer jus à sua nobreza?

Diante de tudo isso, como nos impressionarmos com Antonio Carlos Brasileiro de Almeida Jobim e Marcus Vinicius da Cruz Mello de Moraes? É fácil — eles eram Tom e Vinicius.

Ilhas desertas

A brincadeira está fora de moda há anos. Mas, no passado, os jornais adoravam perguntar aos artistas e intelectuais quais livros, discos ou filmes eles levariam para uma ilha deserta. E todo mundo adorava responder. Minha resposta favorita é a do poeta e jornalista José Lino Grünewald, que, ao escolher seus livros indispensáveis, incluiu, rindo, mas a sério, o *Philosophie der symbolischen Formen*, de Ernst Cassirer — três volumes em alemão e copiosas notas de pé de página. A ilha, ainda que provida de chinelos, poltrona e luz elétrica, era só uma metáfora para as tradicionais listas de dez melhores livros, discos ou filmes na opinião de cada um.

Mas, de repente, durante a quarentena imposta pela pandemia da covid, a ilha deixou de ser metáfora. Tornou-se, para muitos de nós, a dura realidade. Um dos poucos esportes possíveis no isolamento era fazer as tais listas, daí resolvi produzir as minhas. Aqui vai uma só de discos de música brasileira, torcendo para que, como meu equipamento é antigo, a ilha ainda não tenha sido corrompida pela tomada de três pinos.

Eu levaria para a ilha a maioria dos discos de Tom Jobim: *The Composer of "Desafinado", Plays* (1963), que foi o primeiro gravado nos Estados Unidos, *Wave* (1967), *Tide* (1970), *Stone Flower* (1970), *Urubu* (1975) e *Tom Jobim inédito* (1987), este o LP duplo bancado pela CBPO e lançado em CD também duplo pela Sony. E o máximo de songbooks de sua obra: os de Elizeth Cardoso, Lenita Bruno, Sylvinha Telles, Frank Sinatra, Elis Regina, Leny Andrade, Claudette Soares. Todos os discos de Lucio Alves e João Gilberto que conseguisse enfiar no saco. Os primeiros de Nara Leão. Para as noites de fog, Nora Ney, Dolores Duran, Tito Madi, Doris Monteiro, Maysa.

Você dirá que sou um homem da velha guarda, e terei de concordar. O engraçado é que, nos anos 60, todos esses artistas que citei eram o que havia de mais moderno e revolucionário. Velha guarda naquele tempo eram Orlando Silva e Carmen Miranda — e, para provar que você tem razão, eu levaria também a caixa de Orlando Silva, *O cantor das multidões*, lançada pela BMG em 1995, com três CDs, e a de Carmen Miranda, pela EMI, em 1999, com cinco. E muitos discos avulsos de Chico Alves, Mario Reis e Cyro Monteiro. Só temo que, com isso, teria de chamar o Gato Preto e ainda pagar excesso de peso.

Atenção: esta é apenas a minha lista. Você terá a sua, e deve fazê-la. A melhor ilha é a cercada de música por todos os lados.

Cercado pela monofonia

Alguém disse a Tom Jobim que ele não podia deixar de assistir ao show de um novo compositor então em voga. Tom certificou-se de que não havia ninguém escutando e sussurrou: "Olha, estou cobrando 100 mil para fazer um show. E 200 mil para assistir". Tinha razão em não querer que o escutassem. Temia parecer soberbo ou indiferente aos jovens talentos — o que ele não era. Mas a maioria das pessoas não sabe como os músicos reagem aos sons que ouvem no palco ou na vida real.

Eles não são como nós, os leigos. Os músicos são de fato capazes de ouvir estrelas. Distinguem timbres e tons com que nunca sonhamos e apontam o erro de um violino entre cinquenta outros. Ruídos que nem percebemos, como um ronco de motor lá embaixo, na rua, ou de um martelo no apartamento do lado, devem despedaçar-lhes os tímpanos. Com os amigos, Tom raramente tratava de música, e, em casa, só no horário do expediente — acordava cedo, abria o piano e trabalhava até por volta de uma. Fechava o piano, deixava a música em casa e ia almoçar na Plataforma ou explorar o seu pedaço favorito de Brasil, o Jardim Botânico.

Estive em Búzios há algumas semanas. Amo Búzios, em especial seu silêncio e sua paz fora da temporada. Mas, dessa vez, nunca vi tanto alvoroço sonoro. Dia e noite, ao vivo ou gravada, a música parecia brotar de toda parte — pousadas, bares, boates, biroscas, restaurantes, lojas, quiosques, praias, piscinas, ambulantes. Um som diferente saía de cada cubículo e, paradoxalmente, sempre o mesmo: um cantor com violão ou guitarra, cantando algo invertebrado e difícil de identificar, em português ou inglês. Às vezes, um desses cantores trazia acoplada ao pescoço uma perigosa gaita que, a qualquer momento, ameaçava tocar.

Durante cinco dias não escutei o som de um piano, um saxofone ou um trompete. Significa que, em Búzios, nenhum cantor que toque violão ficará sem trabalho, e isso é bom. Só que à custa da extinção de todos os praticantes dos demais instrumentos, e isso não é bom. A monofonia é letal.

Os restaurantes com música ao vivo, estejamos ou não a fim de ouvi-la, nos cobram uma taxa por ela. Mas, dependendo da música, eles é que deviam nos pagar para escutá-la. Cobro menos que o Tom — é pegar ou largar.

Não é biscoito

Há tempos, comentei numa roda que o ator japonês Toshiro Mifune havia nascido na China; o francês Yves Montand, na Itália; e a sueca (aliás, norueguesa) Liv Ullmann, no Japão. As pessoas se espantaram: "Como pode?". O espanto é natural. Muitos nunca ouviram a velha máxima de que gato que nasce em forno não é biscoito. É claro que, onde quer que tenham nascido, Mifune, Montand e Liv eram, respectivamente, japonês, francês e sueca. Assim como Carmen Miranda, nascida em Portugal, era, mais do que brasileira, carioca, cidadã do Rio; e Carlos Gardel, nascido na França, era, mais do que argentino, portenho, cidadão de Buenos Aires.

Todo mundo sabe de Carmen e Gardel. Mas saberão também que, para só falar de cantores, a grega Maria Callas era nascida nos Estados Unidos, o francês Jacques Brel, na Bélgica, e o americano Dick Haymes, na Argentina? Ou que o autor de "White Christmas", hino mundial do Natal, e "God Bless America", o segundo hino dos Estados Unidos, é Irving Berlin, judeu nascido na Rússia? Ou que três dos maiores escritores em língua inglesa no século xx foram o polonês Joseph Conrad (*O coração das trevas*), o húngaro Arthur Koestler (*O zero e o infinito*) e o também russo Vladimir Nabokov (*Lolita*)?

E que os cineastas mais típicos de Hollywood vieram de muito longe? Frank Capra (*A mulher faz o homem*), da Itália; William Wyler (*A princesa e o plebeu*), da Alsácia, então alemã; Billy Wilder (*Crepúsculo dos deuses*), da Áustria; Michael Curtiz (*Casablanca*), da Hungria; e Elia Kazan (*Sindicato de ladrões*), da Turquia? Que os também americaníssimos Cary Grant, Elizabeth Taylor e Bob Hope eram ingleses, assim como Errol Flynn, australiano, e Audrey Hepburn, também belga?

Para não falar de tantos cariocas sobre os quais nunca restou a menor dúvida a respeito de suas nacionalidades. Pois são todos cariocas que apenas nasceram longe de casa: Nelson Rodrigues, em Pernambuco; João Saldanha, no Rio Grande do Sul; Leila Diniz, em Niterói; Fernando Gabeira, em Minas Gerais; Rubem Braga, Danuza Leão, Nara Leão, Roberto Menescal e Carlos Imperial, no Espírito Santo; Ivan Lessa, Miele e Nelson Motta, em São Paulo.

E Tom Jobim, sinônimo de Ipanema, nasceu na Tijuca. Mas vá dizer isso a Ipanema.

As sementes e a colheita

Quando cantava "O grande amor", um dos sambas mais delicados e menos lembrados de Tom e Vinicius, Johnny Alf fazia uma pequena alteração na letra. Em vez de "Haja o que houver/ Há sempre um homem/ Para uma mulher...", ele cantava: "Haja o que houver/ Há sempre alguém/ Para quem quiser...".

E não o fazia por profissão de fé sexual (que ele, gay, mantinha à distância da música), mas pelo seu jeito de conferir um imprimátur pessoal a tudo o que cantava, tomando liberdades com a harmonia, o ritmo e, mais raramente, a letra. Johnny era sempre "bossa nova", mesmo que, com ele, esta nem sempre se parecesse com "a" bossa nova institucionalizada por Tom.

Para Johnny, era normal tomar liberdades com uma canção de Jobim, seu velho amigo e — sabia? — discípulo. Na cabeça de ambos, sempre que eles se encontravam, ainda ecoavam as noites do Rio entre 1952 e 1955, quando Tom e os meninos que fariam a bossa nova iam de boate em boate para ouvir aquele pianista e cantor que estava dando um recado diferente, chamado Johnny Alf. Os meninos eram João Donato, Dolores Duran, Sylvia Telles, João Gilberto, Carlos Lyra, Bebeto Castilho, Ed Lincoln. Todos estavam em busca de novos caminhos para a música popular. Johnny, dois anos mais jovem e mais precoce do que Tom, podia ser esse caminho.

Os donos da noite carioca o levavam de uma boate para outra, e Johnny não sabia dizer não. Em três anos, passou por nove casas noturnas do Leme e de Copacabana. Até que, em 1955, um empresário o levou para a Baiúca, na praça Roosevelt, em São Paulo.

Johnny foi e ficou por lá, bem quando a música que ele ajudara a criar começava a fermentar no Rio.

Como teria sido a bossa nova se Johnny Alf estivesse fisicamente no Rio na fase final de sua gestação? Seria diferente, talvez mais para o jazz, menos para o samba, mas uma "bossa nova" do mesmo jeito. Em 1960, no célebre show *A noite do amor, o sorriso e a flor*, no Rio, Ronaldo Bôscoli chamou Alf ao palco e anunciou-o como já sendo "bossa nova havia mais de dez anos". Não "da bossa nova", veja bem. Muitos garotos na plateia só conheciam Johnny de ouvir falar, mas, quando ele atacou de "Rapaz de bem", entenderam tudo. As sementes já estavam ali. Johnny é que não ficara para a colheita.

Rapaz de bem

Em 2009, Leny Andrade e Alayde Costa fizeram um show em homenagem a Johnny Alf no Teatro Ginástico, no Rio. Foram duas horas de amor, em que Leny e Alayde falaram de Johnny e cantaram tudo dele, de seus clássicos às canções mais obscuras. Todos sabiam que Johnny, aos 79 anos e morando em São Paulo, estava com a saúde por um fio, mas em nenhum momento do espetáculo se pronunciou a palavra "morte". Não era necessário. Ali se tratava de celebrar a música, a beleza e a vida. Duas grandes cantoras estavam fazendo por Johnny Alf o que deveria ter sido feito todos os anos: promover recitais, concertos e canjas com seus sambas — "Ilusão à toa", "Rapaz de bem", "Céu e mar", "O que é amar", "Disa", "Fim de semana em Eldorado", "Nós", "Eu e a brisa" e muitos outros.

Mas não aconteceu assim, e Johnny morreu no ano seguinte sem a consagração que bafejou em vida seus contemporâneos, como Tom Jobim, Carlos Lyra, Baden Powell. Uma opinião corrente em certos círculos era a de que isso se deu porque Johnny era um artista negro. Será? A bossa nova teve Dolores Duran, Alayde Costa, Elizeth Cardoso, Agostinho dos Santos, Claudette Soares, Almir Ribeiro, Pery Ribeiro, Jorge Ben, Wilson Simonal, os irmãos Ismael Neto e Severino Filho (dos Cariocas) e compositores e músicos como Baden Powell, Moacir Santos, Paulo Moura, Raul de Souza e Dom Um. Nenhum deles ariano.

Outra possibilidade era por ele ter trocado o Rio por São Paulo nos anos 50, antes da explosão da bossa nova. Isso é verdade, mas quem também saiu do Rio antes da explosão do movimento foi João Donato, que foi até para mais longe: Los Angeles. Pois Donato voltou para o Brasil treze anos depois, em 1972, reassumiu sua cátedra e, quisesse ou não, tornou-se maior e mais bossa nova do que nunca.

Johnny, por modéstia, não se sentia com uma cátedra a retomar. Sempre recusou tudo que lhe ofereceram, como ir para os Estados Unidos com Sarah Vaughan (a convite dela!) e até mesmo participar do concerto da bossa nova no Carnegie Hall, em 1962, onde repartiria os holofotes com Tom e João Gilberto. Nas entrevistas, falava mais de Tom do que de si mesmo. Humilde, não pedia nada para si. Era completo com sua arte. Quem fracassou fomos nós, que não soubemos dizer ao mundo o artista que tínhamos à mão.

Promessa a Tito Madi

Em 1988, quando comecei a apuração das informações para meu livro sobre a bossa nova, *Chega de saudade*, uma das primeiras pessoas com quem conversei foi Tito Madi. Ele não tinha sido da bossa nova, mas, como compositor e cantor, fora ardorosamente admirado pelos rapazes que estavam criando o movimento. Roberto Menescal, ainda menor de idade, surrupiava garrafas de uísque de seu pai para subornar os porteiros das boates onde Tito se apresentava, para que o deixassem entrar. Em 1957, quando se instituíram os saraus no apartamento dos pais de Nara Leão, em Copacabana, com Nara, Menescal, Carlos Lyra, Ronaldo Bôscoli, Luiz Eça, Oscar Castro Neves e os demais, eles viviam convidando-o a comparecer. Tito era "moderno", como eles queriam ser.

Tito confirmou que Menescal o chamou várias vezes à casa de Nara. "Mas nunca fui", explicou. "Eu tinha a minha música, e esta era o samba-canção." O que não o impediu de, em 1965, compor "Balanço Zona Sul" — "Balança toda pra andar/ Balança até pra falar/ Balança tanto/ Que já balançou meu coração…" —, que, na voz de Wilson Simonal, entrou direto para o repertório da bossa nova.

Para muitos, o samba-canção foi um estágio preparatório para a bossa nova, que, ao surgir, o teria superado e esmagado. Uma espécie de preliminar antes do jogo principal. Mas não foi assim. O samba-canção começou muito antes da bossa nova, foi seu contemporâneo à altura e até sobreviveu a ela. Nos anos 70 e 80, quando ninguém por aqui queria saber mais de bossa nova, Tito prosseguiu sua carreira e continuou a fazer sucesso com o samba-canção.

Graças a ele e a outros, como Dick Farney, Lucio Alves, Silvio Cesar, Jamelão, Márcia, Nana Caymmi, Johnny Alf, Cartola e até Tom Jobim, o samba-canção se manteve vivo por todo aquele tempo. Para ficarmos só nos três últimos, o que são "Eu e a brisa", de Johnny, "As rosas não falam", de Cartola, e "Ligia", de Tom, senão perfeitos sambas-canção?

Quando *Chega de saudade* foi publicado, em 1990, Tito me pediu: "Ruy, um dia, faça um livro como este sobre o samba-canção". Prometi que sim.

Tito morreu em 2018, mas me conforta saber que, embora tenha levado 25 anos, cumpri a promessa. Em novembro de 2015, entreguei-lhe em mãos o primeiro exemplar de *A noite do meu bem*, meu livro sobre o samba-canção, do qual ele sai como um gigante.

Canções cheias de luz

Há tempos, escrevendo sobre Antonio Maria, falei de duas ou três injustas acusações ao gênero musical em que ele era mestre: o samba-canção. Uma delas, a de que o samba-canção era o "bolero brasileiro"; outra, de ser "música de fossa". Pois o que diriam se soubessem que o samba-canção surgiu em 1929, quase vinte anos antes de o bolero chegar por aqui?

É verdade que muitos sambas-canção falam de solidão, abandono e amores fracassados. Mas essa não será uma condição da música romântica em toda parte, até na americana? É só conferir as letras de "Night and Day", de Cole Porter, "Stardust", de Hoagy Carmichael e Mitchell Parish, "One for My Baby", de Harold Arlen e Johnny Mercer, e umas quinhentas outras — todas, a rigor, músicas "de fossa". E haverá maior dor de corno que a dos blues, com suas letras cansativamente compostas de meu-homem-foi-embora--e-me-deixou-para-trás?

Poucos se lembram de que o samba-canção tinha também canções positivas e arejadas, autênticas celebrações da vida e do amor. Duvida? Ouça "Copacabana", com Dick Farney, "Sábado em Copacabana", com Lucio Alves, "O que é amar", de e com Johnny Alf, "Meiga presença", com Elizeth Cardoso, "Dó-ré-mi", com Doris Monteiro.

Nos sambas-canção de Tom Jobim e Vinicius de Moraes, a ênfase no lado confiante e afirmativo das relações já começava pelo título: "O que *tinha de ser*", "Eu sei que *vou te amar*", "Se todos fossem *iguais a você*". E Dolores Duran, que na vida real nunca foi "de fossa" (muito ao contrário, não lhe faltava namorado), cantou a alegria em "Carioca 1954" e fez, com Tom, "Estrada do sol" ("É de manhã/ Vem o sol, e os pingos da chuva que ontem caiu/ Ainda estão a brilhar/ Ainda estão a dançar...").

O sol nasceu muito mais no samba-canção do que se pensa. Vide "Domingo azul do mar" ("Quando eu vi o seu olhar/ Sorrindo para mim/ Neste domingo/ Domingo azul do mar..."), de Tom e Newton Mendonça, com Geni Martins; "Canção da manhã feliz" ("Luminosa manhã/ Pra que tanta luz?/ Dá-me um pouco de céu/ Mas não tanta luz..."), de Haroldo Barbosa e Luiz Reis, com Miltinho; e "Manhã de Carnaval" ("Manhã/ Tão bonita manhã..."), de Luiz Bonfá e Antonio Maria, com Agostinho dos Santos.

A grande música dispensa rótulos. Só precisa de ouvintes atentos.

Arqueologia das boates

Para onde vão as boates quando morrem? A grande boate do Rio do pós-guerra foi o Vogue. Lá cantavam Linda Baptista, Aracy de Almeida, Dick Farney, Sylvio Caldas, Elizeth Cardoso. Havia uma linha direta entre o Vogue e o Palácio do Catete, sede do governo federal. O Catete era o poder, e o Vogue, o prazer, mas, na madrugada, os dois se confundiam. O Vogue ficava na avenida Princesa Isabel, em Copacabana, na quadra da praia, num edifício que dividia a avenida. Um incêndio o destruiu em 1955. Passado o luto, demoliram-no e ampliaram a avenida, no que é agora o canteiro central.

No outro lado da rua, no sentido Leme, ficavam o Fred's, cenário de shows de Carlos Machado, e o Drink, território de Miltinho, Cauby Peixoto e Orlandivo. No espaço deles, há agora um hotel que toma o quarteirão. O sucessor do Vogue no coração do carioca foi o Sacha's, na avenida Atlântica com a rua Antonio Vieira, onde Murilinho de Almeida cantava Cole Porter. O prédio é, há muito, uma agência de banco. E o Arpège, na rua Gustavo Sampaio, onde em 1961 Vinicius de Moraes conheceu Baden Powell, tornou-se um restaurante francês. Tom Jobim, para desespero de sua família, que temia que ele ficasse tuberculoso por trabalhar de madrugada, tocou em muitas delas.

O Bon Gourmet, na avenida Nossa Senhora de Copacabana entre as ruas Ronald de Carvalho e Duvivier — onde, em 1962, João Gilberto, Tom e Vinicius lançaram "Garota de Ipanema" —, converteu-se na portaria de um hotel. A Cantina do Cesar, boate que revelou Johnny Alf, na rua Duvivier, virou um sushi bar.

O Little Club e o Bottles Bar, berços de Wilson Simonal, Elis Regina e Jorge Ben, no Beco das Garrafas, fecharam em 1966 e levaram anos desativados. Mas, graças ao dinamismo de Amanda Bravo, voltaram à vida nos anos 2010. Nenhuma das boates do vizinho Beco do Joga a Chave, na rua Carvalho de Mendonça, sobreviveu: o Chez Penny é uma depilação; o Caixotinho, primeira boate lésbica do Rio, e que depois se tornou o Manhattan — onde Newton Mendonça, sem Tom, esboçou ao piano a estrutura do "Samba de uma nota só" —, metamorfoseou-se, quem diria, numa livraria espírita; e o Le Carrousel, também reduto de Newton, ressuscitou como a Casa das Bombas.

Se isto o consola, não é só no Rio que o passado desapareceu. Na Nova York dos anos 40, havia 42 boates entre as ruas 48 e 60 Oeste. Suas atrações eram Frank Sinatra, Billie Holiday, Ella Fitzgerald, Earl Hines, Billy Eckstine, Count Basie, Duke Ellington. E, como as do Rio, também foram para o céu.

Piano na Mangueira

Era o verão de 1990. Meu livro *Chega de saudade* acabara de sair e, superando as melhores expectativas, a bossa nova, sepultada e com uma cruz em cima havia anos, voltou a ser tocada no rádio, em shows e até na televisão. Numa festa em São Paulo, por aqueles dias, alguém veio falar comigo: "Ruy, meu nome é Oswaldo Martins. Moro em São Paulo, mas sou um dos diretores da Mangueira. Li o seu livro sobre a bossa nova e propus ao pessoal do Rio o Tom como nosso enredo para o Carnaval de 1992. O que você acha?".

Respondi que achava ótimo e perguntei o que tinham em mente. "Será uma grande homenagem ao Tom", ele disse. "Vão querer que ele desfile?", perguntei. "O ideal seria que ele desfilasse", disse Oswaldo, "mas, se não puder ou quiser, a escola segura a onda do mesmo jeito. Queríamos que você nos pusesse em contato com ele." Abri o jogo: "Não tenho autoridade para falar pelo Tom, mas vou repetir o que ele me disse várias vezes — que não aguenta mais ser homenageado. Toda semana uma universidade de qualquer lugar do país lhe oferece um título de doutor honoris causa, que ele não pode recusar, e pedem que ele leve seu grupo, a Banda Nova, para tocar na cerimônia. Como não se fala em dinheiro, é Tom quem tem de pagar a turma".

Oswaldo me prometeu que a Mangueira não queria nada de Tom, exceto a autorização para que ela o homenageasse. "Nesse caso", arrisquei, "acho que ele topa e vai até se oferecer para fazer o samba." O que, claro, não teria sentido, porque isso cabe aos compositores da escola, e eles não abririam mão do privilégio nem por Tom Jobim.

Telefonei para Tom no Rio. Contei-lhe a conversa e perguntei se ele aceitaria receber em casa uma comissão da Mangueira. Tom disse que sim e, em março de 1991, tendo à frente o presidente Ananias, com a presença de Oswaldo, que seria o autor do enredo, a imortal Dona Neuma e uma plêiade de veteranos, a Mangueira subiu aos redutos de Tom no Jardim Botânico para lhe fazer o convite. Que Tom aceitou com orgulho — afinal, ali, através da Mangueira, era o povo brasileiro que queria o seu piano.

Um ano depois, ele estava de terno branco e chapéu, equilibrando-se nas hastes a dez metros de altura, enquanto, no asfalto, a escola desfilava e cantava suas glórias para 70 mil pessoas no Sambódromo. Tom declarou depois que, mesmo morrendo de medo de cair, sentia-se lá em cima como se tivesse "ganhado o prêmio Nobel da Paz". O qual, por imperdoável distração do Nobel, nunca lhe foi concedido.

Momentos de som e fúria

João Gilberto: "Tom, e se você / Fizesse agora uma canção / Que possa nos dizer / Contar o que é o amor…". Tom: "Olha, Joãozinho, eu não poderia / Sem Vinicius pra fazer a poesia…". Vinicius: "Para esta canção / Se realizar / Quem dera o João para cantar…". João Gilberto: "Ah, mas quem sou eu? / Eu sou mais vocês / Que bom se nós cantássemos os três…". Todos: "Olha que coisa mais linda, mais cheia de graça…". E, então, ouve-se uma voz feminina na plateia, quase desmaiando: "Que liiiiiindo!!!".

O show *O encontro*, com João Gilberto, Tom Jobim, Vinicius de Moraes e Os Cariocas, no restaurante Bon Gourmet, no Rio, em 1962, nunca foi lançado em disco. Mas foi gravado, e mais de uma vez, pelo fotógrafo profissional e técnico de som amador Chico Pereira, amigo deles, com seu gravadorzinho Geloso camuflado em algum lugar do palco. Era um aparelho rudimentar, mas suficiente para capturar aquela exclamação no público — a primeira que "Garota de Ipanema" despertou em sua longa história. E foi também a primeira vez que Tom, já com quase dez anos de carreira, sentiu ao vivo o aroma da glória.

A segunda vez foi três meses depois, naquele mesmo 1962, quando ele esqueceu a letra de "Samba de uma nota só" em sua participação no concerto da bossa nova no Carnegie Hall e saiu ovacionado do mesmo jeito. Já o contrário disso foi em 1968, quando Tom entrou para cantar "Sabiá", sua e de Chico Buarque, vencedora do Festival da Canção, sob a maior vaia da história do Maracanãzinho — a massa preferia a inflamável "Caminhando", de Geraldo Vandré.

Outro momento mágico para Tom se deu no seu concerto ao ar livre na praia do Arpoador, no verão de 1992, quando, exatamente na execução de "Samba do avião", o avião da ponte aérea passou voando baixo, piscando suas luzes sobre a multidão na areia, e foi aplaudido por ela como se o voo tivesse sido previsto para isso.

E o que dizer do show de Tom no Ibirapuera, no aniversário de São Paulo e no dele próprio, em 25 de janeiro de 1990? De repente, um curto-circuito apagou todas as luzes do ginásio, inclusive as do palco. Mas o som, magicamente, continuou. Tom e a Banda Nova seguiram tocando no escuro, sem perder um só compasso, e, pelos quatro minutos seguintes, provou-se que a grande música também era capaz de produzir luz. A volta da energia coincidiu com o exato encerramento da canção. Quando Tom se levantou do banquinho para os aplausos, nunca o Ibirapuera pareceu tão iluminado.

Música de elevador

Entrei no elevador de um prédio comercial aqui no Rio e, assim que a porta se fechou, escutei um agradável fundo musical, suavemente jazzístico, saindo de algum lugar. O tipo de música ideal para se ouvir quando não há alternativa, como, por exemplo, dentro de um elevador que ruma devagarinho para um andar alto. Subimos. A porta se abriu no vigésimo andar e saí, mas a mesma música me seguiu pelo corredor. Entrei, sentei-me numa sala de espera e, pelos quase dez minutos que levei para ser atendido, tive o prazer de continuar a escutá-la. Era música enlatada e que, pelo visto, atendia a todo o edifício.

A gravação não me era estranha. Podia jurar que a conhecia. Era um grupo instrumental, formado por trompete, sax-tenor, sax-alto, piano, contrabaixo e bateria. O clássico sexteto de jazz. De repente, identifiquei o líder e, daí, cada integrante daquela formação, e me dei conta do que estávamos ouvindo.

Começara com o piano de Bill Evans e o contrabaixo de Paul Chambers. Foi o que tocou enquanto o elevador subia. Já no corredor, a bateria de Jimmy Cobb se incorporou e formou um leito sobre o qual se espalharam, delicadamente, o sax-alto de Cannonball Adderley, o sax-tenor de John Coltrane e, você adivinhou, o trompete de Miles Davis. Era "So What", o tema de Miles que abre *Kind of Blue*, o disco mais celebrado da fase pré-*Bitches Brew* de Miles — aquela em que, apesar de já militante radical da causa negra, ele ainda gostava de carros ingleses, camisas italianas e mulheres francesas.

Kind of Blue foi gravado em 1958 e, no começo, pareceu incompreensível para muitos. Era o que havia de mais avant-garde. Mas os ouvidos evoluíram e, dali a algum tempo, converteu-se numa pedra filosofal do jazz. E, agora, tornara-se música de fundo. Ouvir Miles Davis num prosaico elevador ou numa sala de espera de dentista devia ser chocante, não? Mas não é — não mais. A grande música teve de se conciliar com o elevador, já que não há muitos outros lugares onde escutá-la.

E não é de hoje. Um dia, nos anos 80, Tom Jobim disse: "Alguém escreveu por aí que eu faço música de elevador. Eu não faço, mas é verdade que minha música toca no elevador. A do Cole Porter, também. A do Chopin, também. É o nosso destino, tocar no elevador. E achar isso ótimo".

Paz e pasmaceira

A repórter Mariana Filgueiras, de *O Globo*, descobriu em Porto Alegre uma coleção de entrevistas gravadas entre 1965 e 1971 pelo radialista Vanderlei Malta da Cunha com os grandes da música brasileira em visita à cidade. Talvez por estarem longe de casa e acharem que ninguém de fora jamais os ouviria, os artistas não se preocupavam em esconder o que pensavam uns dos outros. Mas o microfone não quer saber e registra tudo que escuta. O gravador, então, é ainda mais cruel — eterniza as palavras, e tolo será quem pense que elas seguirão inéditas pela vida. Exemplos?

Pixinguinha sobre Chico Buarque: "Bom letrista, mas, musicalmente, faz sempre a mesma coisa. Não varia muito, não…". Vinicius de Moraes, complacente, sobre Roberto Carlos: "De vez em quando acerta…". Ao ser indagado sobre qual era esse de vez em quando, citou "Namoradinha de um amigo meu", feito para menores de treze anos. E Elis Regina, sobre o iê-iê-iê: "Tom Jobim ensinou Frank Sinatra a cantar. E nós vamos ficar aqui nessa macaquice de pegar a submúsica dos americanos? Jovem Guarda é uma patacoada".

Elis não era a única a achar a Jovem Guarda submúsica, apenas a mais franca. "Eles foram reprovados no exame da Ordem dos Músicos de São Paulo", declarou. "Quando fiz a prova, eu tinha de solfejar, ler música, e eles não sabem nem afinar uma guitarra." Guitarra esta contra a qual Elis liderou uma passeata pelo centro de São Paulo, em 1967, e que Caetano Veloso, assistindo àquilo horrorizado pela janela, comparou a uma "manifestação do integralismo", o fascismo brasileiro dos anos 30. Elis também dizia horrores de Nara Leão, chamou Claudette Soares de "tampinha" por seu 1,49 metro (Elis tinha 1,53) e quase trocou garrafadas com Maysa. Em compensação, grande cantora ou não, quase nenhum de seus colegas gostava dela.

Todos disparavam contra todos. Os Festivais da Canção eram uma guerra nos bastidores. Caetano brigou com o júri inteiro de um deles, embora preferisse brigar com a imprensa. Chico Buarque era chamado de velho pelos tropicalistas, que, em troca, eram detonados por Edu Lobo e Dori Caymmi. Eram tempos turbulentos, em que os artistas se pegavam por motivos políticos, estéticos e profissionais. Depois, veio a pacificação geral. Todos passaram a se amar. E, com a paz, a pasmaceira.

O único de quem você nunca ouviria uma palavra contra ninguém era Tom Jobim. Só em off.

Times do coração

Num dos dias mais tristes da história do Rio, em 1994, Tom Jobim foi enterrado no Cemitério São João Batista. Sobre seu caixão, as bandeiras do Brasil e do Fluminense. E só então a maioria das pessoas ficou sabendo que ele torcia pelo time das Laranjeiras. O futebol não era importante em sua vida, mas, como todos nós, Tom trazia da infância certa ternura por um time. Sabendo disso, resolvi dar um pulinho ao passado e, consultando jornais velhos, livros e amigos, descobri para qual time torciam, em cada época, nossos antigos heróis da música e da literatura aqui no Rio.

Assim como Tom, Coelho Netto era torcedor do Fluminense; Olavo Bilac, do Botafogo; João do Rio, do Flamengo; e Lima Barreto odiava futebol. Carlos Drummond de Andrade era Vasco; Manuel Bandeira, Flamengo; João Cabral do Melo Neto, América; e Augusto Frederico Schmidt, Botafogo — Schmidt até dormia com a camisa do clube sob o pijama. Romancistas? José Lins do Rêgo era Flamengo; Rachel de Queiroz, Vasco; Octavio de Faria, Fluminense; Marques Rebelo, América; Clarice Lispector, Botafogo. E José Mauro de Vasconcellos, Bangu.

Cronistas? Rubem Braga, Flamengo; Fernando Sabino, Paulo Mendes Campos e Otto Lara Resende, todos Botafogo (embora, segundo Nelson Rodrigues, Otto não soubesse nem se suas listras na camisa eram verticais ou horizontais). Nelson, claro, Fluminense, mas seu irmão Mario Filho, Flamengo. Sergio Porto, Fluminense. Colunista e colunável, Danuza Leão era Vasco.

E os músicos? Villa-Lobos, Ary Barroso e Dorival Caymmi eram Flamengo. Noel Rosa, que alguns pensam ser Vasco, não era muito de futebol e tinha vaga simpatia pelo Andaraí. João de Barro (Braguinha) era Botafogo; Lamartine Babo, América; Assis Valente e Wilson Baptista, Flamengo; e Custódio Mesquita, Fluminense. Entre os cantores, Francisco Alves, Mario Reis e Carlos Galhardo eram América. Carmen Miranda, Orlando Silva, Cyro Monteiro, Moreira da Silva e Linda e Dircinha Baptista, Flamengo. Aracy de Almeida, Vasco. E Sylvio Caldas, olha só, era São Cristóvão.

No samba-canção, bossa nova e adjacências, Tom, já sabemos, era Fluminense. Dick Farney, Ronaldo Bôscoli e Elis Regina, também. Vinicius de Moraes e Carlinhos Lyra, Botafogo; João Gilberto, Lucio Alves e Doris Monteiro, Vasco. E Dolores Duran, Elizeth Cardoso, Angela Maria, Billy Blanco, Roberto Menescal, Sylvinha Telles, Claudette Soares e Nana Caymmi, Flamengo. Nara Leão, nenhum.

Abraço na estátua

Tom Jobim, erigido em estátua no Arpoador, não passa trinta segundos sem ter alguém a seu lado para fotografar-se com ele ou apenas admirá-lo. De tão abraçado, acariciado e até beijado, o bronze ficou dourado. A escultora Christina Motta, baseada numa foto de Paulo Scheuenstuhl, de 1959, publicada na *Manchete*, capturou Tom aos 32 anos, ágil, esguio, bonito, de violão às costas e já objeto de maciça adoração.

Somente nos doze meses anteriores àquela foto, sozinho ou com parceiros, Tom compusera "Caminhos cruzados", "Chega de saudade", "Desafinado", "Estrada do sol" e "Eu não existo sem você". E, nos doze seguintes, faria "Dindi", "Eu sei que vou te amar", "A felicidade", "Meditação" e "Samba de uma nota só". Nenhum outro compositor brasileiro surgira com tal bagagem e em tão pouco tempo. Até 1967, Tom seria o rosto do novo Brasil. Seu nome evocava a bossa nova, o verão, a garota de Ipanema, o disco com Frank Sinatra. Um rosário de triunfos, de que o país se orgulhava.

De repente, tudo mudou. Por muitos motivos, talvez políticos, o Brasil ficou amargo, e o que Tom representava pareceu, de repente, velho, irreal, alienado, rançoso. Tom foi remetido ao passado. Nos anos 70 e parte dos 80, as gravadoras brasileiras o descartaram, alegando que seus discos "não vendiam". Para poder gravar, ele tinha de ir para Nova York, onde nunca lhe faltou mercado. Como as matrizes já vinham sem custo de lá, seus discos acabavam saindo aqui. Mas, pelo fato de tê-los gravado nos Estados Unidos, Tom tinha agora contra si a patrulha, que o taxava de "americanizado".

Parte da imprensa o ignorava. Outra o acusava de morar fora

para fugir do Imposto de Renda, de ter vendido "Águas de março" para a Coca-Cola e de falar mal do Brasil no exterior. "Por que eu falaria mal do Brasil?", ele perguntava. "Se eu fizesse isso, os estrangeiros iam ficar perplexos, não iam acreditar — porque o Brasil que eles conhecem é o Brasil paradisíaco, das minhas músicas." E Tom também ficou amargo e pesado.

Mas, como dizia Vinicius, não há nada como o tempo para passar. O tempo é volátil, volúvel, e é inútil procurar explicações. Talvez as pessoas se cansem de odiar. O fato é que, um dia, tudo passou, e em seus últimos dez anos de vida, até 1994, Tom viu-se de novo querido, admirado e reconhecido por uma nova geração, sem ranço e sem ódio. Hoje, ao abraçar-lhe a estátua, milhares de pessoas estão apenas devolvendo a Tom o amor que por anos lhe sonegaram.

As vozes dos donos

Em 2014, comentei na *Folha* que 90% da música popular gravada no Brasil de 1902 até então — ou seja, todo o século xx e quebrados — estava em mãos de três grupos estrangeiros. Um leitor perguntou se eu não estava exagerando. Respondi que não, e aqui vão as provas.

À francesa Vivendi pertence agora tudo o que antigamente eram a histórica Casa Edison, a do "Pelo telefone", de 1917, e a EMI, que era dos alemães e que conhecíamos aqui como Odeon. Significa que estão em suas mãos Francisco Alves, Mario Reis, Carmen Miranda, Dalva de Oliveira, Dorival Caymmi, Moreira da Silva, Elza Soares, Wilson Simonal, Paulinho da Viola, Clara Nunes e os três primeiros LPs de João Gilberto. A EMI, por sua vez, já abocanhara o acervo da Copacabana, com o que a Vivendi recebeu, de graça, Angela Maria, Dolores Duran e Elizeth Cardoso.

À Vivendi pertence também a Universal, esta, por sua vez, herdeira de tudo o que, dos anos 50 aos 80, foram Sinter, Companhia Brasileira de Discos, Philips, Phonogram e Polygram, além dos alternativos Elenco e Forma. Donde Sylvia Telles, Os Cariocas, Baden Powell, Jorge Ben, Nara Leão, Maria Bethânia, Gilberto Gil, Caetano Veloso, Gal Costa, Os Mutantes, Chico Buarque, Elis Regina e vários outros discos de João Gilberto, tudo agora é Vivendi.

À japonesa Sony, açambarcadora das ex-potências RCA Victor (a de Nipper, o cachorrinho que ouve a "voz do dono" pelo gramofone) e Columbia, pertence tudo o que elas gravaram dos anos 30 aos 70, com Sylvio Caldas, Carlos Galhardo, Orlando Silva, Cyro Monteiro, Aracy de Almeida, Nelson Gonçalves, Linda Baptista, Luiz

Gonzaga, Isaura Garcia, Jackson do Pandeiro, Cauby Peixoto, Tito Madi, Maysa, Beth Carvalho e Roberto Carlos.

À americana Warner pertence o acervo da brasileiríssima Continental. Isso significa Vassourinha, os Anjos do Inferno, Dick Farney, Lucio Alves, Emilinha Borba, Marlene, Valdir Azevedo, Jamelão, Jorge Goulart, Nora Ney, Doris Monteiro e até os disquinhos do Chapeuzinho Vermelho e da Baratinha, com música de João de Barro. E mais discos de João Gilberto. E Tom Jobim? — perguntará você. Está em literalmente todas elas, retalhado e dividido por cada uma das múltis acima.

Coquetelaria Bossa Nova

Hotéis, restaurantes e bares de luxo do Rio prometeram uma atração em conjunto no verão de 2019: a Coquetelaria Bossa Nova. Consistia de uma carta de drinques e coquetéis com combinações insólitas, criadas por bartenders cheios de truques. Havia uma caipirinha com infusão de louro em cachaça de bálsamo. Um gim com, idem, infusão de abacaxi grelhado e chá verde com arroz torrado. E um single smoke com uísque defumado e também infusionado com amoras.

Ao ler isso, perguntei-me o que a turma da pesada da bossa nova, chegada aos destilados e fermentados em estado bruto, acharia de tanta infusão e amoras. Tom Jobim, por exemplo, até os trinta anos foi fiel à cerveja e ao chope — era fiel também ao seu bolso, já que não tinha dinheiro para o uísque. Já o poeta e diplomata Vinicius de Moraes era um homem do uísque, que chamava de "melhor amigo do homem" — "O uísque é o cachorro engarrafado", dizia. Quando eles formaram parceria, em 1956, Tom se deixou converter por Vinicius à seita do malte. Não por acaso, suas finanças também tinham melhorado muito. Mas Tom nunca dispensou o chope e a cerveja. Apenas acrescentou o uísque à sua dieta.

Outro parceiro de Vinicius, Baden Powell, era decididamente fã da Escócia. Fã até demais. Os cerca de trinta sambas que eles fizeram juntos, entre os quais "Apelo", "Berimbau" e "Consolação", custaram-lhes uma carga de uísque equivalente à de um transatlântico. Maysa, Luiz Carlos Vinhas e Walter Wanderley também encarariam tonéis. Newton Mendonça, parceiro de Tom em "Desafinado" e "Samba de uma nota só", morreu fiel ao conhaque Georges Aubert. E Ronaldo Bôscoli, letrista de "Lobo bobo" e "O barquinho", ainda tomava nos anos 70 um drinque típico dos anos 50: cuba-libre — rum com Coca-Cola. Devia ser o último homem na Terra a tomar aquilo.

Em compensação, o álcool nunca disse nada a Carlinhos Lyra, Nara Leão, Marcos Valle. E menos ainda a Roberto Menescal, devoto do milk-shake, do iogurte e da coalhada.

Já João Gilberto, como se sabe, só beberia alguma coisa se ela viesse enrolada em papel de seda.

3
ANOS DOURADOS

Uma história de amor

O ser humano não falha. Muitos dos grandes nomes que associamos à bossa nova — que começaram na bossa nova, consagraram-se com a bossa nova e eram *a* bossa nova — um dia a negaram, repudiaram, demitiram-se dela e até lhe declararam guerra. Não queriam mais ser bossa nova.

O primeiro foi Carlinhos Lyra. Ao cortar relações com seu parceiro Ronaldo Bôscoli, em 1959, passou a chamar sua própria música de "sambalanço", para distingui-la do ritmo que ajudara a criar e praticava ao pé da letra. Mas a Philips não quis saber. A bossa nova era uma marca poderosa, e Aloysio de Oliveira, seu chefe na gravadora, pespegou à bela capa de seu primeiro LP o título *Bossa Nova Carlos Lyra*. Para piorar, o autor do texto da contracapa, Ary Barroso, chamou Lyra de um "expoente da bossa nova", e o que Ary Barroso falava estava falado. Com o tempo, Carlinhos sossegou. Esqueceu o "sambalanço" e voltou à bossa nova, da qual nunca saíra.

Nara Leão, por motivos pessoais — seu noivo, Ronaldo Bôscoli, sempre ele, tivera um caso com Maysa —, rompeu com a bossa nova e também com a ideologia que parecia cercá-la. Em entrevistas, acusou-a de ser politicamente alienada, de não passar de "música de apartamento" — por acaso, o apartamento dela, na avenida Atlântica — e de só falar de barquinho. Mas não adiantou: todos os discos de Nara naquela época, por mais corajosos e de esquerda, eram, em espírito e ritmo, bossa nova. Até que, um dia, Nara se reconciliou com a turma e gravou todo o repertório que deixara para trás, incluindo "O barquinho", feito para ela por Roberto Menescal e — sempre ele — Ronaldo Bôscoli.

Já João Donato nunca se disse "da bossa nova", mas a bossa nova garantia que ele era dela, o que se provou verdadeiro. E houve alguém que, certa vez, pronunciou a mortífera frase: "Eu não faço bossa nova. Faço samba". Foi João Gilberto, acredita? E ninguém o reprovou por isso porque, pensando bem, não havia contradição na frase. Todos sabiam que, graças a ele, a bossa nova era, basicamente, samba.

Um homem nunca renegou a bossa nova: Tom Jobim. Em nenhuma das suas incontáveis entrevistas se lerá uma palavra em desfavor dela. Ao contrário: nos anos 80, quando poucos se lembravam da bossa nova mesmo que para pichá-la, Tom sempre dava um jeito de falar dela com respeito e gratidão. Daí que, quando a bossa nova voltou à cena no Brasil, nos anos 90, ele fosse dos poucos a não se desdizer ao declamar seu amor por ela.

Tom dos cinco idiomas

Nenhum outro músico brasileiro, compositor ou intérprete, popular ou erudito, de qualquer categoria, gênero, estilo ou época, tem uma discografia, nacional ou internacional, instrumental ou vocal, direta ou indireta, comparável à de Tom Jobim. Os discos dedicados exclusivamente à sua obra talvez ainda possam ser recenseados, e encherão páginas, mas as gravações avulsas de suas canções, não mais. Ele foi mais gravado do que talvez seja hoje possível contabilizar. Mais assombroso para Tom, talvez, seria saber que sua música já foi mais interpretada do que a de seus dois heróis, Villa-Lobos e Ary Barroso.

Pode-se ouvi-lo de acordo com a preferência musical de qualquer um. O Jobim que o mundo descobriu nos anos 60, o da bossa nova, com sua paleta de praia, mar e verão, está nos discos de praticamente todos os cantores populares ativos desde então, em dez ou quinze línguas. As gravações definitivas desse período são as originais, quase todas por João Gilberto e Sylvia Telles, mas vale mergulhar nas 77 faixas por oitenta cantores gravadas por Almir Chediak, em 1996, para os cinco CDs do *Songbook Antonio Carlos Jobim*, da Lumiar. Outro produto historicamente obrigatório é a coletânea da Revivendo *Raros compassos*, em três CDs, com 75 gravações de canções de Tom nos anos 50 e 60 pelos artistas mais populares do período, muitos ainda no primeiro idioma falado por Tom: o samba-canção.

O Jobim da bossa nova, adotado de saída pelo jazz e incorporado ao seu cânone, está nos discos da maioria dos grandes do gênero, brasileiros ou americanos, desde 1962 — não houve jazzista que não se aventurasse por "Desafinado" ou "Wave". Mas eu daria preferência aos discos que se atêm aos temas instrumentais de Tom, feitos para as improvisações, como o songbook *Antonio Carlos Jobim instrumental*, também da Lumiar, de 1995, e os dois *Jobim Jazz*, por Mario Adnet, todos com o fino dos músicos brasileiros.

Adnet é também o comandante do duplo *Jobim Sinfônico*, juntando-se aos maestros que Tom idolatrava e que também o vestiram com formações de setenta músicos, como Guerra Peixe, Radamés Gnatalli e Leo Peracchi. E, a provar que nem o samba-canção, a bossa nova, o jazz e a música de concerto comportam todo o Jobim, há também um Tom rural, com as suas toadas que falam de pássaros, caminhos de pedra, estradas brancas, riachos, correntezas e águas de março, tratadas a caráter no CD *Tom do sertão*, de 2016, por Chitãozinho e Xororó.

Sem falar nos idiomas de Tom ainda a descobrir no outro lado da Lua.

Sem começo nem fim

Uma especialidade do ser humano é que ele é o único animal que faz perguntas, embora nem todas relevantes. Exemplos: "Quem sou eu?", "De onde vim?", "Para onde vou?", "Deus existe?", "Há vida depois da morte?", "Estamos sozinhos no universo?" e "Por que o espirro vem sempre em pares?".

Outra pergunta que atazana a humanidade — ou pelo menos a mim, que faço parte dela — é: "Quando começou a bossa nova?". Já me foi feita dezenas de vezes, por estudantes, repórteres e ensaístas, de Xique-Xique à Groenlândia. No começo, devido à riqueza de opções, eu elaborava a resposta, arrolando teorias musicais e históricas. Mas, aos poucos, fui reduzindo — ou ampliando — o escopo de minha argumentação, de modo a agora responder com convicção: "A bossa nova nunca começou. Ela sempre existiu".

A prova está no LP de João Gilberto *Chega de saudade*, gravado em 1958-59, produzido por Tom Jobim e tido sem discussão como o disco de onde saiu tudo. De suas doze faixas, oito são de Tom, Newton Mendonça, Carlos Lyra e do próprio João Gilberto, com ou sem parceiros, todas recém-nascidas de seus pianos e violões, e identificadas em ritmo, harmonia e letra com o que se chamou de "bossa nova".

Mas as quatro faixas restantes eram "Morena boca de ouro", de Ary Barroso, de 1941, "Rosa morena", de Dorival Caymmi, de 1942, "Aos pés da cruz", de Zé da Zilda e Marino Pinto, de 1942, e "É luxo só", também de Ary, com Luiz Peixoto, de 1957. Todos sambas "antigos", de autores veteranos e consagrados por cantores tradicionais — mas todos sambas "de bossa", que João Gilberto cantou do seu jeito e ficaram tão bem no novo ritmo que muita gente achou que eles eram "da bossa nova".

Sempre com Tom como arranjador e mentor, João Gilberto voltaria a fazer isso em seus dois discos seguintes, *O amor, o sorriso e a flor* (1960) e *João Gilberto* (1961), com "Doralice", "Bolinha de papel", "A primeira vez", "Samba da minha terra", "Saudade da Bahia" e outros sambas dos anos 40 e 50, todos também "de bossa" — de uma bossa que, quando eles foram compostos, era absolutamente nova na música brasileira. Donde concluo que, ao se originar de si mesma, da grande música brasileira de bossa do passado, a bossa nova não precisou ter um começo. E, por isso, também não precisa ter fim.

Coisa nossa

As pessoas não querem saber apenas quando começou a bossa nova. Outra preocupação nacional é de onde saiu o nome. Quando me perguntam, respondo, para não complicar, que saiu da língua portuguesa mesmo. E é fácil entender. As palavras "bossa" e "nova" sempre existiram, cada qual no seu canto. Um dia, alguém as acoplou para significar qualquer coisa nova, diferente, original. Até que, em fins dos anos 50, elas foram aplicadas a um novo gênero musical que estava surgindo no Rio, lançado por Tom Jobim, João Gilberto, Carlos Lyra, Sylvia Telles e outros. É isso aí.

Ou não — porque nunca se consegue direito dar nomes aos bois. O próprio uso de "bossa nova", referindo-se ao gênero musical, é incerto. Fala-se de uma secretária anônima do Grupo Universitário Hebraico, no Flamengo, que em 1958 teria pintado uma tabuleta anunciando um show: "HOJE. SYLVIA TELLES E UM GRUPO BOSSA NOVA". Ou seja, um grupo diferente, "bossa nova" — não "de bossa nova". Foi a partir dali que, captada no ar pelo esperto Ronaldo Bôscoli, a expressão definiu aquele jeito de tocar e cantar.

Mas se antes disso já se entendia por "bossa nova" apenas uma coisa diferente, original, quem teria inaugurado a expressão? O principal suspeito é o violonista José do Patrocinio de Oliveira, Zezinho, que acompanhava Carmen Miranda nos Estados Unidos e faria a voz do papagaio Zé Carioca nos filmes de Walt Disney. Em 1939, Zezinho, recém-chegado, chamava de "bossa nova" tudo o que lhe parecesse novidade. Ao ver as lâmpadas de mercúrio de Nova York, por exemplo: "Olha lá! Iluminação bossa nova!". Ou ao comprar um par de sapatos sem cadarços: "Sapato bossa nova!".

Ou seja, a bossa vem de longe. Mas de quão longe? Um exemplo remoto é a frase de Carmen Miranda para o compositor e médico Joubert de Carvalho, em 1930, quando ele lhe foi ensinar a marchinha "Eu fiz tudo pra você gostar de mim (Taí)", que criara para ela: "Pode deixar, doutor, que, na hora da bossa, eu entro com a boçalidade", disse Carmen.

Mas a palavra "bossa" vem de ainda mais longe. Descobri-a no capítulo 13, tomo 1, de *Memórias de um sargento de milícias*, o romance de Manuel Antonio de Almeida, que é de 1852. A folhas tantas, ele diz de Leonardo, o pequeno anti-herói do livro: "Ele tinha a bossa da desenvoltura". E com o mesmo sentido de hoje: um *jeito* diferente de fazer alguma coisa. O samba, a prontidão e outras bossas são nossas coisas, são coisas nossas, diria o infalível Noel.

Obras-primas pela janela

O som entrou pela minha janela, vindo não sabia de onde. Era "Chora tua tristeza", de Oscar Castro Neves e Luvercy Fiorini, na sensacional gravação original de Alayde Costa, de 1959. "'Chora tua tristeza'?", espantei-me. E era para espantar mesmo. Foi um dos primeiríssimos clássicos da bossa nova, logo gravado por Carlos Lyra, Maysa, Sylvia Telles, Walter Wanderley, Lalo Schifrin e muitos mais. Tornou-se quase um hino, um prefixo da bossa nova. E, de repente, foi abandonado. Exceto por Caetano Veloso muitos anos depois, ninguém mais cantou "Chora tua tristeza".

A exemplo desse, muitos sucessos iniciais da bossa nova estão esquecidos. O próprio Castro Neves viu sumir "Não faz assim", "Menina feia" e "Onde está você?", todas de sua autoria e obrigatórias naqueles tempos heroicos. Que fim levou a belíssima "Tristeza de nós dois", de Mauricio Einhorn, Durval Ferreira e Bebeto Castilho, que estourou em 1960? Foi também repetidamente gravada e depois deixada de lado. Quando Emilio Santiago cantou "Tristeza de nós dois" em seu disco *Feito para ouvir*, de 1977, as pessoas se reapaixonaram por ela. Mas, em pouco tempo, sumiu de novo, para nunca mais. E, falando em Durval Ferreira, por que suas pequenas joias "Chuva", "Nuvens" e "E nada mais", um dia tão populares, não tiveram a sorte de "Estamos aí", também dele e que nunca saiu do ar?

Para onde foram "Tempo feliz" e "Amei tanto", de Baden e Vinicius? "Alegria de viver", de Luiz Eça e Fernanda Quinderé? "Samba da pergunta", "Samba do dom natural" e "Samba de rei", de Pingarilho e Marcos de Vasconcellos? "Olhou pra mim", de Ed

Lincoln e Silvio Cesar? "Samba Toff", de Orlandivo? "Samba de Orfeu", de Luiz Bonfá e Antonio Maria? "Amanhã", de Walter Santos e Tereza Souza? "Disa", de Johnny Alf? "Adriana", de Roberto Menescal e Lula Freire? Como pudemos dispensar tanta coisa boa? E, sim, Tom Jobim tem pelo menos umas cinquenta canções de que não se pode fugir. Mas isso não é motivo para os cantores e músicos deixarem de lado "Surfboard", "Bonita", "Olha pro céu", "O grande amor", "Vivo sonhando", "Aula de matemática", "Foi a noite", "As praias desertas".

A bossa nova foi reduzida a um repertório básico que todos gravam e regravam. De vez em quando, uma obra-prima perdida no tempo entra pela janela e nos desperta para o legado que ela construiu.

As mútuas admirações

Um amigo estranhou que, em crônica recente, eu citasse Carlos Lyra como dos primeiros a ter gravado, em 1959, "Chora tua tristeza", de Oscar Castro Neves e Luvercy Fiorini, um dos clássicos inaugurais da bossa nova. "Mas Carlos Lyra não era compositor?", perguntou. Para esse amigo, muito jovem, cada compositor só canta suas composições, e por que o autor de "Influência do jazz" e "Minha namorada" daria tal colher de chá a um concorrente? Expliquei-lhe que isso era comum e seu estranhamento era um efeito dos tempos de hoje, em que cada artista só enxerga a própria produção.

Foi a bossa nova que tornou natural no Brasil os compositores gravarem como intérpretes, mas isso não tirou o espaço de suas admirações. Tom Jobim deixou versões imortais de "Carinhoso", de Pixinguinha, "Aquarela do Brasil", de Ary Barroso, e "Maracangalha", de Caymmi. Tom gravou até a carnavalesca "Turma do funil", do mirabolante sambista Mirabeau, em 1979. E, em 1964, no auge do estouro mundial de "The Girl from Ipanema", quando mal chegava para as solicitações, Tom fez um generoso disco nos Estados Unidos, *Love, Strings and Jobim*, com as canções de Baden Powell, Marcos Valle, Luiz Eça, Eumir Deodato, Durval Ferreira e Roberto Menescal. Todos, por sua vez, gravaram Tom copiosamente.

A bossa nova em peso gravou João Donato, que, por sua vez, gravou "Manhã de Carnaval", de Luiz Bonfá e Antonio Maria, "O barquinho", de Menescal e Bôscoli, "Balanço Zona Sul", de Tito Madi, e um disco inteiro sobre Tom. Carlos Lyra, Marcos Valle e Sergio Ricardo foram apenas alguns que gravaram "Rapaz de bem", "Ilusão à toa" e "Céu e mar", de Johnny Alf. Já Johnny Alf também gravou um disco inteiro dedicado a Jobim e outro a Noel Rosa. Baden Powell gravou tudo de todo mundo e foi o primeiro a nos apresentar Moacir Santos, com "Coisa nº 1" e "Coisa nº 2".

E, embora pareça incrível, pela futura rivalidade entre eles, quem lançou Chico Buarque em disco foi... Geraldo Vandré, com "Sonho de um Carnaval", em seu LP *Hora de lutar*, de 1965. O mesmo Vandré que, pouco depois, teria Chico como bête noire por ele ter sufocado suas "Disparada" e "Caminhando" com "A banda" e "Sabiá".

Pelo fato de os cantores e compositores da bossa nova gravarem-se uns aos outros, suas canções se espalharam e se eternizaram na memória das pessoas. E faziam isto porque os talentos eram muitos e as admirações, mútuas. A música não era um espelho, mas um caleidoscópio.

A quebra da cadeia

O que tinham em comum Carmen Miranda, Aracy de Almeida, Linda e Dircinha Baptista, Dalva de Oliveira, Elizeth Cardoso, Marlene, Nora Ney, Doris Monteiro, Angela Maria, Sylvia Telles, Elza Soares, Nara Leão, Maria Bethânia, Elis Regina? Foram algumas das maiores cantoras brasileiras. E eram cantoras-cantoras, não compositoras-cantoras. Nenhuma delas jamais botou uma semifusa ou palavra no papel. Tinham quem fizesse isso por elas: Ary Barroso, Assis Valente, Noel Rosa, Ataulpho Alves, Wilson Baptista, Dorival Caymmi, Herivelto Martins, Lupicinio Rodrigues, Antonio Maria, Billy Blanco, Baden Powell, Zé Kéti, Edu Lobo, Tom Jobim. Os quais eram, em primeiro lugar, compositores-compositores.

É verdade que Noel, Ataulpho, Lupicinio, Caymmi, Zé Kéti, Edu e Tom também cantavam, alguns muito bem, e às vezes gravavam, mas só depois que suas músicas já tinham se consolidado na voz de cantores e cantoras profissionais. E não se diga que Dolores Duran e Maysa foram exceções entre as mulheres. Dolores levou toda a sua vida profissional como cantora e só no fim se revelou como compositora. E Maysa, que começou cantando suas músicas, não demorou a trocá-las pelo grande repertório que os autores punham aos seus pés.

Escrevo isso porque a maioria das pessoas já nem se lembra de que, no passado, havia uma cadeia benigna entre os compositores e os cantores, cada qual no seu poleiro. Era mesmo uma cadeia, uma linha de montagem, que fazia com que a música de um compositor tivesse sucessivas gravações por diferentes cantores e grupos instrumentais. E como isso acontecia durante anos, uma canção, de tão gravada, tornava-se aquilo que chamamos de um standard. O conjunto de standards atravessava gerações e representava o cancioneiro nacional, a ser explorado pelos cantores puros, os cantores só cantores. Em toda parte era assim: os compositores compunham e os cantores cantavam.

Essa cadeia se rompeu de vez a partir dos anos 80, quando cada grupo ou cantor passou a cantar apenas seu próprio material. Assim, escassearam os cantores só cantores e, em consequência, os compositores só compositores.

Hoje, cada música nasce e morre com seu autor. O engraçado é que, quando morre, ninguém parece sentir falta dela.

A bossa nova e a ararinha

Em 2008, a prefeitura do Rio tombou a bossa nova como patrimônio cultural imaterial da cidade. Como homenagem, foi bonito e justo porque, por seu formato, espírito e temática — a leveza, o sol, a sofisticação —, a bossa nova só poderia ter nascido no Rio. Sua flexibilidade, no entanto, fez com que fosse logo aprendida e adotada por músicos de toda parte, e sua qualidade garantiu que continuasse a ser produzida e executada até hoje, do Tatuapé a Tóquio.

Segundo li, o alcance prático do tombamento era "preservar" o gênero. Mas pode-se preservar um gênero musical por decreto? Como não é atribuição das prefeituras abrir casas noturnas onde tal ou qual música seja tocada, imagino que, para justificar o tombamento, deveriam promover shows gratuitos de bossa nova em parques, praias e calçadões da cidade, com os artistas pagos pela Secretaria de Cultura. Isso, sim, seria contribuir para a preservação da bossa nova, além de atender às expectativas dos turistas, que chegam ao Rio esperando ouvir "Garota de Ipanema" assim que botam o pé no Galeão, digo, Tom Jobim. Seria também uma forma de compensar os músicos pela insensibilidade do mercado. Mas nada disso foi feito consistentemente.

Esse problema não é só da bossa nova. Quem chegar hoje a Nova York pensando que ouvirá jazz ao descer no Kennedy se frustrará. Em sua seção de serviço de artes e espetáculos, a revista *The New Yorker* lista agora apenas duas ou três casas de jazz em Manhattan. A própria Broadway nos últimos trinta anos teve muito mais a ver com helicópteros que desciam no palco ou candelabros que desabavam em cima da plateia do que com a música de Cole Porter.

Muitas casas de tango, em Buenos Aires, de fado, em Lisboa, e de flamenco, em Madri, são armadilhas para turistas. Mas quem sabe onde se canta em Paris a grande canção francesa de Charles Trenet, Édith Piaf, Jacques Prévert, Paul Misraki, George Brassens? Haverá novos valores? No Rio, ao contrário do que se pensa, a música de Jobim está sempre no ar, e há dois ou três shows de bossa nova por semana em algum lugar, com gente jovem ou da antiga.

Não, a bossa nova não está nas paradas. A ararinha-azul também não. Mas, entre a bossa nova e a ararinha, a ararinha é a que está mais ameaçada de extinção.

Inspiração tardia

Em 2008, quando morreu em Paris o cantor e compositor franco-guianense Henri Salvador, todos os obituários, inclusive o do *New York Times*, disseram que, com sua canção "Dans Mon Île", de 1957, ele "inspirou Tom Jobim a criar a bossa nova". E como se deu essa inspiração? O próprio Henri adorava explicar. Em 2000, um repórter da RFI (Radio France Internationale) lhe perguntou: "É verdade que o senhor teve um papel na invenção da bossa nova?". Henri, modestamente, respondeu: "Apresentei uma canção, 'Dans Mon Île', no filme italiano *Europa de noite*. Anos depois, meu amigo Sergio Mendes me contou que, quando Tom Jobim assistiu ao filme no Brasil, disse: 'É isso aí! É o que nós temos de fazer — atrasar o andamento do samba, botar acordes modernos e transformá-lo num ritmo completamente novo!'. E foi assim que Tom inventou a bossa nova. Devo admitir que fiquei muito orgulhoso ao ouvir essa história".

Bem, *Europa de noite*, um documentário sobre os nightclubs europeus rodado em meados de 1958, estreou nos cinemas da Europa em 1959 e, no Brasil, em abril de 1960. Nessa época, Jobim, só ou com parceiros, já havia feito "Estrada do sol", "Chega de saudade", "Desafinado", "Samba de uma nota só", "Meditação", "Corcovado", "A felicidade", "Brigas nunca mais" e umas trinta outras. Mas digamos que "Dans Mon Île", aliás, um bolero, tenha estourado em disco antes do filme, e seu 45 rpm, com o buraco no meio, chegado às mãos de Tom em 1958. Naquele ano, Tom já havia feito "Correnteza", "Outra vez", "Tereza da praia", "Foi a noite", "Caminhos cruzados", "Lamento no morro" e "Se todos fossem iguais a você".

Sergio Mendes é bom de música, mas não é muito rigoroso quanto a datas. E talvez não saiba que, de 1941 a 1945, o jovem Henri Salvador morou no Rio, como um dos cantores da orquestra de Ray Ventura, *band leader* francês exilado aqui durante a ocupação de Paris pelos nazistas. Como Ventura incorporou inúmeros sambas, sambas-canção e marchinhas de Carnaval ao repertório da orquestra, Henri tinha de aprendê-los para cantá-los no Cassino da Urca, onde eles se apresentavam. Uma das marchinhas era "Mamãe, eu quero".

E assim ficamos combinados: o querido Henri — condecorado pelo governo brasileiro por sua "contribuição à criação da bossa nova" — inspirou Tom Jobim a fazer o que Tom já fazia antes dele.

Música com muitos pais

Um artigo num jornal do Rio sobre o compositor Claudio Santoro (1919-89) chamou-o de "um dos precursores da bossa nova". Santoro foi amigo de Vinicius de Moraes em Paris, em 1956-57, e musicou treze poemas de Vinicius a pedido dele. O resultado, segundo Santoro, saiu "bem bossa nova, que [só] seria criada um ano depois". É mesmo? Mas por que não? A bossa nova tem muitos precursores.

Aliás, *só tem* precursores. Um deles, como já contei, Henri Salvador. Num vídeo do Google, sob a rubrica "The Birth of the Bossa Nova", consta sua ousada declaração de que Tom Jobim tirou dele as ideias para a nova música. Outro vídeo, este de um show em homenagem a Jobim em São Paulo, em 1993, mostra o cantor americano Jon Hendricks, antes de cantar sua paupérrima letra em inglês ("No More Blues") para "Chega de saudade", dizendo: "Aqui vai a que começou tudo" — como se "tudo" tivesse começado com ele.

E cizânia nunca faltou. O crítico José Ramos Tinhorão, que, quando escrevia sobre bossa nova, transformava-se numa planta carnívora, "observou" que um LP americano de 1953, *Brazilliance*, do violonista brasileiro radicado nos Estados Unidos Laurindo Almeida com o saxofonista de jazz Bud Shank, "já era bossa nova antes de Jobim e João Gilberto". Certo. Quanto a João Gilberto, nunca faltou quem o reduzisse a imitador do cantor e trompetista Chet Baker — porque, afinal, antes de João Gilberto, não era Chet Baker que já cantava baixinho e macio? Sim, mas eu iria ainda mais longe: João Gilberto se inspirou em vários cantores americanos do pós-guerra que já cantavam baixinho e macio muito antes de Chet Baker, como

Matt Dennis, Bobby Troup, Joe Mooney e o Page Cavanaugh Trio, os quais influenciaram o próprio Chet. E todos, por seu turno, foram influenciados pelo cantor do King Cole Trio (1944-49): Nat King Cole.

De fato, é possível "escutar" bossa nova em muitos cantores, compositores, músicos e arranjadores clássicos e populares, brasileiros e internacionais, a partir de sabe quando? Mil novecentos e dois. A própria instituição do microfone elétrico, em 1926, deu voz a uma multidão de cantores "sem voz", como Gene Austin e "Whispering" Jack Smith, nos Estados Unidos, e Mario Reis e Luiz Barbosa, no Brasil. Todos, em seu tempo, faziam parecido com a bossa nova.

Mas só parecido. Os primeiros a compor, tocar e cantar bossa nova, e aí não tem jeito, foram mesmo Tom Jobim e João Gilberto.

Cantando baixinho

Um pianista, cantor e arranjador americano chamado Page Cavanaugh, morto em 2008 em Los Angeles, aos 86 anos, nunca deve ter sabido que, por volta de 1950, no Rio, seus discos eram ouvidos com paixão por um grupo de rapazes que, um dia, ajudariam a criar a... bossa nova. E, se alguém lhe falou disso, Page levou um susto.

O susto não se deveria ao fato de ele ser escutado no Brasil, mas ao simples fato de ser escutado fora dos Estados Unidos. Não que fosse um artista obscuro — entre 1946 e 1952, seu conjunto, o Page Cavanaugh Trio, gravou vários discos com Frank Sinatra e acompanhou Doris Day nos três filmes que a tornaram de repente a maior sensação do cinema americano: *Romance em alto-mar* (1948), *No, no, Nanette* (1950) e *Rouxinol da Broadway* (1951). E por que Page duvidaria de que alguém o ouvisse fora de seu país? Porque cantava tão baixinho que mal conseguiam escutá-lo dentro do próprio estúdio.

Na época, Cavanaugh, piano, Al Viola, violão, e Lloyd Pratt, contrabaixo, todos tocando e cantando, eram o que havia de mais moderno na canção americana. Eles literalmente sussurravam ao microfone. Aliás, o moderno estava nisto: cantar com uma absurda variedade de harmonias e divisões, mas o mais baixinho possível, só ao alcance dos microfones mais sensíveis. Seus discos, por algum acaso, chegaram aos ouvidos dos jovens de um conjunto vocal do Rio, chamado Os Garotos da Lua. Eles ficaram siderados e se tornaram uma versão brasileira do Cavanaugh Trio, adotando seu estilo, repertório e arranjos. Para isso, infernizavam seus amigos comandantes da Panair — para que lhes trouxessem de Nova York os 78 rpm do trio.

Em 1950, João Gilberto foi importado da Bahia para substituir Jonas Silva como crooner dos Garotos da Lua. João Gilberto herdou não apenas o microfone de Jonas como as versões brasileiras de Haroldo Barbosa para pelo menos dois sucessos de Page Cavanaugh, incorporados ao conjunto: "The Three Bears" ("Os três ursinhos") e "All of Me" ("Disse alguém"). A mesma "Disse alguém" que João Gilberto continuaria a cantar pelos anos afora, só que ainda mais baixinho do que o próprio Page jamais cantou.

Grandes nomes da bossa nova, como Roberto Menescal, Nara Leão e Carlinhos Lyra, nunca souberam da existência do Page Cavanaugh Trio. O que não fazia diferença, porque Tom Jobim, João Donato e João Gilberto sabiam.

Num estupendo verão

No verão de 1958, num predinho da rua Nascimento Silva, em Ipanema, o jovem Tom Jobim estava tirando do piano uma beleza atrás da outra. A alguns quarteirões, na esquina da avenida Henrique Dumont com a praia, o poeta Vinicius de Moraes vestia com letras aquelas canções. Ou o contrário — às vezes, Tom é que aplicava a música à letra.

As canções se destinavam a um LP a ser produzido para um modesto selo fonográfico chamado Festa, especializado em discos de poetas lendo seus poemas, de circulação obviamente limitada. O proprietário da Festa, o ex-jornalista Irineu Garcia, já lançara grandes discos com Drummond, Bandeira, Augusto Frederico Schmidt, João Cabral de Melo Neto e outros, mas sentia que, com Vinicius, deveria fazer diferente.

Ele sabia que Vinicius era um ser musical, que gostava de tocar violão e cantar em casas de amigos e, desde 1956, estava ligado ao jovem Jobim. Os dois tinham feito o musical *Orfeu da Conceição*, de que saíra, entre outras, "Se todos fossem iguais a você". Donde, pensou Irineu, por que não gravar Vinicius com música de Tom, na voz de uma cantora moderna como, digamos, Dolores Duran?

Vinicius e Tom, empolgados, aceitaram e apresentaram a Irineu um caderno com doze canções inéditas. Ao violinista Irany Pinto coube arregimentar os músicos, e que timaço ele armou: Copinha na flauta, Gaúcho e Maciel nos trombones, Herbert na trompa, Vidal no contrabaixo, Juca Stockler na bateria e mais um naipe de sete violinos, duas violas e dois cellos. O estúdio seria o da Odeon, no edifício São Borja, em frente à Cinelândia, em que Tom, por sinal, trabalhava como arranjador.

Mas não houve acordo com Dolores. Ainda quase desconhecida como autora, ela estava no auge como cantora e cheia de compromissos em boate, rádio, cinema e televisão. Vinicius então sugeriu Elizeth Cardoso, e Elizeth não conhecia Tom, mas, por deferência a Vinicius, topou. Tom trouxe então um violonista que achava indispensável para acompanhar Elizeth em certas faixas — o jovem e quase desconhecido João Gilberto. E assim, dali a dias, naquele estupendo verão, gravou-se o LP *Canção do amor demais*, que abria com um samba chamado "Chega de saudade", cantado por Elizeth, com, pela primeira vez, um acompanhamento de violão bossa nova por João Gilberto. O resto você sabe.

O homem que fez a Festa

Comentei aqui que o pioneiro LP *Canção do amor demais*, com as canções de Tom Jobim e Vinicius de Moraes, na voz de Elizeth Cardoso e com João Gilberto ao violão, saiu em 1958 por um selo micro, chamado Festa, do ex-jornalista Irineu Garcia. Diante disto, mais de um leitor quis saber quem era Irineu Garcia e desde quando um jornalista tinha cacife para tal empreendimento.

Não tinha. Irineu era pobre. O paletó e a gravata — nunca foi visto sem eles — apenas escondiam o fato de que, às vezes, ele não sabia de onde viria seu próximo uísque (que, aliás, usava só para molhar os lábios). A Festa funcionava numa salinha sem banheiro no centro do Rio, não muito longe da sua verdadeira sede, o bar Villarino, onde Irineu encontrava os amigos que fariam tudo por ele sem cobrar nada, como Otto Lara Resende, Rubem Braga, Jorge Amado e uma legião. Este era o seu principal capital: a amizade.

Em sua curta existência, de 1956 a 1965, a Festa lançou o absurdo de 103 LPs. Iam de poetas lendo seus poemas — alguns deles, Drummond, Bandeira, João Cabral, Cecilia Meirelles e o chileno Pablo Neruda — aos de compositores clássicos brasileiros como Alberto Nepomuceno, Villa-Lobos, Camargo Guarnieri, Francisco Mignone, Claudio Santoro; e alguns da melhor música popular possível, como o disco de Elizeth, outro de Lenita Bruno, *Por toda a minha vida*, também cantando Tom e Vinicius, e uma musicalização de *O pequeno príncipe*, de Saint-Exupéry, por, incrível, também Tom. Um catálogo de Primeiro Mundo.

Em 1958, não existiam leis de incentivo nem Ministérios da Cultura para pagar as despesas. Irineu era seu próprio incentivo e ministério. Contando tostões, bancava os custos de gravação e de prensagem no estúdio da Odeon. Os poetas cediam seus poemas de graça e os liam ao microfone em troca de um abraço de Irineu. O Itamaraty lhe comprava um lote para distribuição no exterior, e o resto da tiragem ia disputar espaço nas lojas de discos com Angela Maria e Cauby Peixoto. Adivinhe quem ganhava.

Nos anos 70, Irineu vendeu o selo e o catálogo da Festa para a Philips e foi para Lisboa, onde o conheci em 1973, quando também fui morar lá. Vimo-nos toda semana durante três anos, e ele me falava orgulhoso daquelas gravações. Irineu morreu lá, em 1984, aos 64 anos. O acervo Festa, hoje sob a guarda de sua sobrinha Gracita Garcia Bueno, foi digitalizado e está completo no Spotify — 901 faixas, mais de 24 horas no ar, para glória da cultura brasileira.

Impossível escolher

O roqueiro inglês Ian McCulloch, líder do grupo Echo & The Bunnymen, afirmou à *Folha* ter composto "a melhor canção de todos os tempos", "The Killing Moon". Ao ler isso, eu disse "Opa!". Com toda uma vida dedicada à música, já escutei milhares de canções com cantores em todos os ritmos e línguas, em discos ou ao vivo, tanto em estádios com 100 mil pessoas quanto em interpretações só para mim, ao pé do ouvido. E nunca pude me decidir sobre a "melhor canção de todos os tempos".

Seria, talvez, "All of You", de Cole Porter? "Make Believe", de Jerome Kern e Oscar Hammerstein? "The Man I Love", dos irmãos Gershwin? "Let's Face the Music and Dance", de Irving Berlin? "Stardust", de Hoagy Carmichael? "Too Marvelous for Words", de Richard Whiting e Johnny Mercer? "My Funny Valentine", de Richard Rodgers e Lorenz Hart? "If I Loved You", de Rodgers e Hammerstein? "The Man that Got Away", de Harold Arlen e Johnny Mercer? "I Can't Get Started", de Vernon Duke e Ira Gershwin? "Sophisticated Lady", de Duke Ellington e Mitchell Parish? "Send in the Clowns", de Stephen Sondheim? A mexicana "Noche de ronda", de Agustín Lara? A portenha "El día que me quieras", de Carlos Gardel e Alfredo Le Pera? A francesa "Les Feuilles mortes", de Joseph Kosma e Jacques Prévert? Impossível escolher.

E entre as brasileiras? "Carinhoso", de Pixinguinha? "Agora é cinza", de Bide & Marçal? "Chão de estrelas", de Sylvio Caldas e Orestes Barbosa? "Na batucada da vida", de Ary Barroso e Luiz Peixoto? "Último desejo", de Noel Rosa? "Saia do caminho", de Custódio Mesquita e Evaldo Ruy? "Olhos verdes", de Vicente Paiva? "Caminhemos", de Herivelto Martins? "Doce veneno", de Valzinho?

Ou, quem sabe, "A noite do meu bem", de Dolores Duran? "Valsa de uma cidade", de Ismael Neto e Antonio Maria? "Não tem solução", de Dorival Caymmi e Carlos Guinle? "A flor e o espinho", de Nelson Cavaquinho, Guilherme de Brito e Alcides Caminha? "As rosas não falam", de Cartola? "Primavera", de Carlos Lyra e Vinicius de Moraes? E as de Tom Jobim — qual das cem maiores?

Fui escutar "The Killing Moon". Não é a melhor canção de todos os tempos. Não é sequer uma das duzentas melhores canções sobre a Lua. E nem mesmo das mil melhores do rock. Entre estas, não se compara nem ao iê-iê-iê "Mamãe passou açúcar ni mim", do Carlos Imperial.

Os quinhentos mais — em termos

Enquetes de revistas são sempre divertidas: as dez melhores cidades do mundo para se morrer de tédio, os cinquenta piores goleiros de todos os tempos, os cem melhores nhoques do planeta. Não há leitor que concorde com a lista final — sempre faltará uma cidade, um goleiro ou um nhoque que ele acha insuperável. Quanto a mim, nunca discuto com tais listas. Sei que elas são apenas a média das preferências em dada época e que podem mudar de uma enquete para outra.

Em 2020, a revista *Rolling Stone* anunciou os "quinhentos melhores álbuns da história". Entre os dez primeiros estão *Thriller*, de Michael Jackson, *The Doors*, deles próprios, e *Hunky Dory*, de David Bowie. Já *Sgt. Pepper's Lonely Hearts Club Band*, dos Beatles, antigo campeão dessas listas, foi chutado lá para baixo. Nota zero em rock como sou, não tenho autoridade para opinar. Mas discordo dessa classificação de "os quinhentos melhores álbuns da história".

Melhores onde? Melhores quando? A revista talvez quisesse dizer os melhores da história do pop rock a partir dos anos 60. Pelo que vi, nenhum álbum de qualquer outro gênero está entre os quinhentos, assim como nenhum anterior a 1960. Talvez não existisse música antes disso. Talvez não existisse a história antes disso. Mas os álbuns existem desde 1948, quando foram inventados como LPs de 33 rpm, e nos anos 50 já tinham conquistado o mercado. Será que nenhum disco daquele tempo emplacaria entre os quinhentos? Nem unzinho de Frank Sinatra ou Ella Fitzgerald, entre os grandes vendedores de discos, ou os de Duke Ellington ou Billie Holiday, entre os de grande prestígio? E isso para ficarmos apenas entre os artistas de língua inglesa, já que, para a lista da *Rolling Stone*, também parece não existir música em outras línguas.

Se a frase acima for verdade — ou seja, só existe música em inglês —, temo estar protagonizando uma ilusão. Afinal, passei a vida ouvindo (ou, como constato agora, pensando ouvir) álbuns antológicos de Tom Jobim, João Gilberto, Elizeth Cardoso, Dorival Caymmi, Sylvia Telles, Lucio Alves, Elza Soares, Nara Leão, Chico Buarque e tantos outros. Ou foi tudo minha imaginação?

E quanto ao México, à França, Argentina, Cuba? Esses países também sempre produziram grande música popular. Só que em seus estilos, ritmos e línguas originais, que o radar da *Rolling Stone*, voltado para o próprio umbigo, não pega.

Inesgotável. Mas indestrutível?

Todo mundo conhece pelo menos cinco canções de Tom Jobim. As que vêm primeiro à mente, e com razão, são "Chega de saudade", "Samba do avião", "Garota de Ipanema", "Wave" e "Águas de março". Outros serão capazes de citar as quase tão famosas "Desafinado", "Samba de uma nota só", "Corcovado", "Sabiá" e "Retrato em branco e preto". Muitos se lembrarão de "Só danço samba", "Chovendo na roseira", "Ligia", "Gabriela" e "Anos dourados". E os mais sofisticados falarão de "Modinha", "Dindi", "Passarim", "Borzeguim" e "Two Kites".

Um universo de vinte fabulosas canções. Se isso parece pouco — pouco? — é porque o próprio Tom, em suas apresentações com a Banda Nova nos últimos anos, fez delas a base de seu repertório. É compreensível. Como nunca havia muito tempo para ensaios, era difícil incluir variações — exceto, às vezes, "O morro não tem vez", "Correnteza", "Bonita", "Luiza", "Chansong". E, com isso, dezenas de outras canções de Tom ameaçam desaparecer do cânone.

"Teresa da praia" continuará popular, mas e "Aula de matemática", "Olha pro céu" e "As praias desertas"? Quantos ainda se lembrarão de obras-primas entre seus sambas-canção, como "Foi a noite", "Se todos fossem iguais a você", "Eu sei que vou te amar", "Estrada do sol" e "Por causa de você"? Ou mesmo seus primeiríssimos clássicos da bossa nova, como "Só em teus braços", "Este seu olhar", "Brigas nunca mais", "Vivo sonhando" e "O amor em paz"?

E será que, um dia, "A felicidade", "Lamento no morro", "Demais", "Surfboard" e "Ela é carioca" continuarão a ser escutadas?

E "Insensatez"? E "Meditação"? E "Fotografia"? E "Inútil paisagem"? E "Água de beber"?

Eu sei, a obra de Tom, sozinho ou com parceiros, parece inesgotável e indestrutível. Mas o grande inimigo da música está à espreita. É o silêncio. Ele já silenciou a obra de compositores a quem devemos boa parte da música popular brasileira, como Bide & Marçal, Custodio Mesquita, J. Cascata, Leonel Azevedo, Valfrido Silva, Roberto Martins, Luiz Bittencourt, Zé da Zilda, Pedro Caetano, Marino Pinto. Outrora famosos, são hoje desconhecidos de 99% da população. Que isso nos alerte para a possibilidade de dissolução de mais um patrimônio nacional.

O grosso e o fino

Tom Jobim nunca se conformou com que três de suas canções da primeira fase da bossa nova — "Outra vez", com letra e música dele, e "O amor em paz" e "Chega de saudade", com Vinicius de Moraes — não tivessem feito nos Estados Unidos o mesmo sucesso de "Desafinado". Para Tom, a causa disso eram as versões em inglês das letras, cometidas por um americano que "não entendeu nada". Era o cantor e letrista Jon Hendricks, mais famoso como membro do trio vocal jazzístico Lambert, Hendricks & Ross, formado por ele nos anos 50 com o competente Dave Lambert e a insuperável Annie Ross.

Em 1963, Hendricks gravou um disco solo pela Reprise, *Salud! João Gilberto*, com doze títulos da bossa nova consagrados por João Gilberto, incluindo os três citados, vertidos por ele, Hendricks. Qualquer semelhança entre suas versões e as letras originais era coincidência. "Chega de saudade", por exemplo, transformada em "No More Blues", tornou-se o lamento de um sujeito que quer voltar para sua cidadezinha — nada mais distante do que os cariocas e cosmopolitas Tom e Vinicius tinham em mente. Tom pensara em desautorizar aquelas letras, mas desistiu — não há como um brasileirinho peitar a indústria musical americana.

Hendricks era craque, isto sim, em botar letra em clássicos instrumentais do jazz, como "Cotton Tail", de Duke Ellington, "In Walked Bud", de Thelonious Monk, e "Joy Spring", de Clifford Brown. Essas letras eram basicamente scats com palavras, sem a menor intenção lírica ou poética, mas permitindo ao cantor fazer uma espécie de vibrante vocalise. Hendricks aplicou isso a temas de swing pesado de Count Basie, e o LP resultante, *Sing a Song of Basie*, pelo Lambert, Hendricks & Ross, em 1958, era sensacional. Mas as letras da bossa nova a serem vertidas eram diferentes: sofisticadas, antinarrativas (não "contavam uma história") e de construção elaborada, ou seu principal autor não seria Vinicius. E Hendricks era um grosso.

Em 1993, em duas noites do Free Jazz, no Rio e em São Paulo, Tom se viu no palco ao lado de Jon Hendricks, inadvertidamente convidado a participar pelo produtor Oscar Castro Neves. Assistindo hoje ao show pelo YouTube, com um sorridente Tom acompanhando Hendricks enquanto este destroça "Garota de Ipanema", ninguém podia saber o que estaria se passando pela cabeça de Tom.

Ele era fino.

Não era tão impossível

Tom Jobim e Dolores Duran tinham acabado de compor uma canção a que dariam o título de "Por causa de você" ("Ah, você está vendo só/ Do jeito que eu fiquei/ E que tudo ficou..."). Tom gostou do resultado. Tanto que se virou para a parceira e perguntou: "Você já imaginou, Dolores, o Sinatra cantando essa nossa música?". A cética Dolores achou graça: "Tom, o Sinatra só vai cantar essa nossa música quando o homem pisar na Lua".

Naquele ano, 1957, o homem pisar na Lua era, para os profanos, a coisa mais remota do mundo, mais até do que as galinhas criarem dentes. Na verdade, galinhas com dentes eram atrações comuns em mafuás de subúrbio e cidades pequenas, ao lado do maior anão do mundo, da vaca de cinco patas e de Monga, a Mulher-Gorila. Já o homem pisar na Lua, até então, só em filme de Hollywood produzido por George Pal.

Sinatra era o maior sonho de consumo dos compositores de toda parte. Sua presença na música popular em meados dos anos 50 é quase inimaginável nos dias de hoje. Era o maior cantor do mundo em vendas, popularidade, poder, influência e admiração. Seus imitadores pululavam — de dois em dois meses surgia nos Estados Unidos um "novo Sinatra", mas ninguém conseguia superá-lo.

Pois aconteceu que, anos depois, Frank cantou — e gravou — "Por causa de você", com letra em inglês de Ray Gilbert e o título de "Don't Ever Go Away", para o disco *Sinatra & Friends*. Segundo os registros da gravadora Reprise — as gravadoras americanas registram tudo —, foi no dia 11 de fevereiro de 1969, por volta de dez da noite. Exatamente cinco meses, nove dias e quatro horas antes de o astronauta Neil Armstrong descer da Apollo 11 e dar aquele primeiro passeio pela Lua. E, antes que eles flanassem pelo satélite, Sinatra gravou "Água de beber", "Se todos fossem iguais a você", "Triste", "Estrada branca", "Wave" e "Samba de uma nota só", também para *Sinatra & Friends* — aliás, seu *segundo* disco com Tom.

Como se vê, ao contrário do que pensava Dolores, não era tão impossível assim. Se duvidar, os astronautas, com trilha sonora a bordo da Apollo, podem até ter escutado a gravação de "Don't Ever Go Away" com Sinatra durante o voo.

De uma agendinha de bolso

Foi em 21 de novembro de 1962. Tom Jobim curvou-se para os aplausos ao fim do concerto da bossa nova no Carnegie Hall, e Nova York se apaixonou por ela. Os produtores e empresários americanos nem piscaram. Para eles, além dos rapazes talentosos que tinham visto no palco, devia haver outros no Brasil produzindo aquela música. E havia. Alguém assobiou, abriu-se uma ponte aérea Ipanema-Manhattan, e o primeiro a cruzá-la, no fim daquele mesmo ano, foi o Bossa Três, o trio com Luiz Carlos Vinhas, piano, Tião Neto, contrabaixo, e Edison Machado, bateria.

A paixão, pelo visto, não foi só musical. A prova está numa agendinha de bolso de Tião Neto, que me caiu às mãos depois de sua morte, em 2001. Nela estavam, anotados por ele, o telefone e o endereço de importantes jazzistas americanos, seus ídolos de muitos anos, com quem passou a circular por Nova York. Eis alguns.

O escritório de Duke Ellington ficava na 52 W 58th, ou seja, rua 58 Oeste, número 52. O de Quincy Jones, na 745 Fifth Avenue. Paul Chambers, o contrabaixista de Miles Davis, morava na 18 W 88th St. O pianista Horace Silver, no 400 Central Park W, apt. 142. O casal Jackie & Roy, a cantora e o pianista loucos pela bossa nova, na 4715 Independence Ave. O flautista Herbie Mann, no 7279 Yellowstone Boulevard.

De alguns, Tião só tinha o telefone, ainda com o prefixo alfanumérico comum naquele tempo: o dos saxofonistas Gerry Mulligan, SC4-1721, e Stan Getz, LY4-7028; do trompetista Kenny Dorham, PR8-6021; do trombonista J.J. Johnson, TE3-1010; dos magnatas das gravadoras Nesuhi Ertegün, da Atlantic, BU8-0064, e Creed Taylor, da

Verve, ju2-200. E, claro, o dos brasileiros já instalados lá: Tom Jobim, fi8-7605; João e Astrud Gilberto, tn2-2000 e Luiz Bonfá, ci5-1800. Sem falar nos endereços de trabalho: o Village Vanguard, na 178 7th Av., e o Village Gate, na 178 Thompson St., ambos, claro, em Greenwich Village.

A bossa nova se distinguia por seus rapazes boa-pinta: Tom, Ronaldo Bôscoli, Carlinhos Lyra, Roberto Menescal, Sergio Ricardo. E Tião Neto não ficava atrás: alto, charmoso e barba de intelectual da geração beat. Eu me pergunto o que estaria fazendo na sua agenda o número de telefone (rh4-1600) da suíte no Carlyle Hotel da dadivosa princesa Lee Radziwill, trinta anos, casada com um borocoxô príncipe polonês no exílio, irmã de Jacqueline Kennedy e cunhada do presidente dos Estados Unidos John Kennedy? Talvez ela quisesse aulas de contrabaixo.

Getz/Gilberto sessentinha

Nos dias 18 e 19 de março de 1963, oito homens e duas mulheres se reuniram no estúdio A&R, na rua 48 Oeste, em Nova York, e gravaram o, para muitos, maior disco da bossa nova. Para outros, como eu, o maior disco da bossa nova gravado fora do Brasil. Claro que, naqueles dois dias, não podiam saber que, seis décadas depois, esse disco ainda seria ouvido como se tivesse sido gravado hoje.

Eles eram o jazzista Stan Getz, 36 anos, uma lenda do jazz, por seu lirismo ao sax-tenor e nem tanto pelo caráter (ou falta de); o pianista, compositor e arranjador Antonio Carlos Jobim, também 36 e, ali, apenas no primeiro de seus muitos apogeus; o violonista e cantor João Gilberto, 32, genial e genioso em partes iguais; o contrabaixista Tião Neto, 32, com seu swing e firmeza; e o baterista Milton Banana, 27, quase tão importante para a batida da bossa nova quanto João Gilberto para a do violão.

As duas mulheres eram Astrud, carioca nascida na Bahia, a dez dias de completar 23 anos e casada com João Gilberto (só ele sabia que ela cantava), e Monica Getz, 32, mulher de Stan e a cargo de uma missão quase impossível: arrancar diariamente João Gilberto de seu quarto no Hotel Diplomat, na rua 43 Oeste, e convencê-lo a trocar o pijama pelo terno e ir com ela para o anexo do Carnegie Hall, onde se realizaram os ensaios para o disco.

Os outros três homens eram o engenheiro de gravação Phil Ramone, 29, dono do estúdio e, em breve, o maior nome do ramo — meses antes, gravara Marilyn Monroe cantando um "Happy Birthday to You" impróprio para menores em homenagem ao presidente John Kennedy, no Madison Square Garden; o engenheiro de som

Val Valentin, também 29, responsável pela incrível sonoridade do disco; e o dono do disco, o produtor Creed Taylor, da Verve Records, 33 anos e já adorado pelos jazzistas por ter criado vários selos de jazz, inclusive, em 1960, o adorado Impulse!, com a justa exclamação no nome. O repertório? "Corcovado", "Doralice", "O grande amor", "Só danço samba", "Vivo sonhando" etc., e a faixa que consolidaria a bossa nova: "The Girl from Ipanema".

Na época, parecia normal reunir num estúdio pessoas daquele calibre para gravar um disco. Hoje, sabe-se que, de fato, não havia nada demais naquilo. Apenas o suficiente para produzir uma obra-prima.

O óbvio sussurrante

Hoje, quando me dizem que o disco X, considerado um clássico, está fazendo "aniversário" (de vinte, trinta, cinquenta anos), pergunto se é de gravação ou de lançamento. Na verdade, sei muito bem que é de lançamento — refere-se ao dia em que os primeiros exemplares saíram da prensa ou chegaram às lojas. Pode ser tudo, menos o aniversário da gravação propriamente dita.

Este, se existisse, seria o dia em que o cantor "pôs voz" em cima das bases? Mas qual dia, se essa etapa pode levar semanas ou meses? Ou será aquele em que os "convidados especiais" — e haja convidados nos discos de hoje — também apuseram seus instrumentos ou vozes na gravação? Ou o dia em que o disco foi submetido às correções eletrônicas que fazem com que até os mudos consigam gravar? Enfim, qualquer dessas datas pode ser, no futuro, considerada a do "aniversário" do disco — basta a gravadora decretar.

Nos dias 18 e 19 de março de 2023, completaram-se sessenta anos — sessenta! — que João Gilberto e o saxofonista Stan Getz foram reunidos pelo produtor Creed Taylor no estúdio A&R, em Nova York, para gravar o LP que se chamaria *Getz/Gilberto*. Ao lado deles, Tom Jobim, pianista, arranjador e autor de seis das oito faixas do disco. Astrud, que estava ali como mulher de João, foi chamada a participar cantando "Garota de Ipanema" em inglês, e isso faria do disco um estouro mundial.

Essas datas não são simbólicas. As oito faixas do disco foram integralmente gravadas naqueles dois dias de 1963, com takes diretos, de primeira, e tão perfeitos que o engenheiro de gravação Phil

Ramone não pediu repetecos. Por "direto" entenda-se: todos cantando e tocando juntos, para valer.

Ironicamente, o único a duvidar da importância do que tinha à mão foi o seu próprio produtor, Creed Taylor. Sem saber o que fazer do disco, deixou a fita na geladeira pelo resto do ano e foi tratar de outros projetos. Os outros também foram cuidar da vida. Tom Jobim continuou em Nova York, fazendo bicos em discos alheios. João Gilberto foi para a Itália com João Donato, Tião Neto e Milton Banana. E Astrud, que até então não existia, continuou não existindo. Até que, em janeiro de 1964, Taylor resolveu dar uma chance ao material. Botou-o para tocar, deslumbrou-se com o que ouviu e, sem saber, confirmou a frase de Nelson Rodrigues, de que só os profetas enxergam o óbvio ululante — quanto mais o sussurrante.

E, então, vem a mutreta

Em dezembro de 2018, na Califórnia, Norman Gimbel, autor da letra em inglês de "Garota de Ipanema", de Tom e Vinicius, foi-se desta para melhor. E já foi tarde, porque ganhou mais dinheiro com a canção, que se chamaria "The Girl from Ipanema", do que Tom e Vinicius, seus verdadeiros autores, juntos. Por uma razão simples: assim que é publicada por uma editora musical americana com letra em inglês, uma canção se torna, para todos os efeitos, americana. É bom para seus autores originais, mas é melhor ainda para os americanos.

Gimbel era um dos profissionais a quem as editoras musicais repassavam canções estrangeiras com potencial de sucesso para que lhes pusesse letra em inglês. Outros eram Ervin Drake, que verteu "Tico-tico no fubá", de Zequinha de Abreu, e S. K. Russell, responsável por "Aquarela do Brasil", de Ary Barroso. Letras meramente funcionais, com rimas e imagens batidas. Não eram os compositores que os escolhiam, mas as editoras musicais a que as canções agora pertenciam.

Versões em inglês de canções estrangeiras eram uma indústria nos Estados Unidos e, nela, apenas entre as brasileiras, ninguém superou Ray Gilbert. Ele letrou "Na baixa do sapateiro", de Ary Barroso, "Carinhoso", de Pixinguinha e João de Barro, "Baião", de Humberto Teixeira e Luiz Gonzaga, "Berimbau", de Baden Powell e Vinicius, e, de Tom, nada menos que "Dindi", "Ela é carioca", "Inútil paisagem", "O amor em paz", "Por causa de você" e "Bonita". Norman Gimbel também não se deu mal. Só de Tom, além de "Garota de Ipanema", ele letrou "Sabiá", "Insensatez", "Meditação", "Água de beber", "Só danço samba" e "O morro não tem vez". E vários outros sucessos da bossa nova, um deles "Samba de verão", de Marcos e Paulo Sergio Valle.

E, então, vem a mutreta. Ray Gilbert exigia ser editor das músicas que letrava, o que lhe garantia 50% dos direitos gerais sobre a canção — e, como letrista, mais um terço dos restantes 50%. Isto lhe dava 66,6% sobre cada canção, restando 16,6% para Tom e outro tanto para o letrista brasileiro, fosse Vinicius, Aloysio de Oliveira ou qualquer outro. Já Norman Gimbel não era editor, apenas autor da versão. Talvez por isso, quando Tom morreu, em 1994, ele tenha registrado "The Girl from Ipanema" em seu nome, o que a família Jobim levou anos para reverter.

Norman, meu chapa, que a terra lhe seja leve, com o Pão de Açúcar por cima.

Astrud nunca foi perdoada

Antes e depois de Astrud Gilberto, só dois artistas brasileiros fizeram sucesso real e duradouro nos Estados Unidos: Carmen Miranda e Sergio Mendes. Por esse nível de sucesso, entenda-se vender discos aos milhões, falar inglês, ser onipresente nos talk shows da TV e adotado pelos americanos como se fosse um deles. Com Tom Jobim foi diferente. Era idolatrado pelos produtores, arranjadores, maestros, músicos, cantores, críticos e jornalistas, mas podia andar em paz por Nova York. Para nós, no Brasil, não fazia diferença: se um brasileiro estourasse nos Estados Unidos não podia ser perdoado.

Astrud, que morreu em 2023, na Filadélfia, aos 83 anos, cometeu o crime de deixar que os americanos se apaixonassem por ela. O Brasil nunca entendeu o porquê disso, mas não só. O primeiro a se atordoar com o sucesso de Astrud foi Creed Taylor, produtor do LP *Getz/Gilberto*, contendo o "The Girl from Ipanema" cantado por ela. O disco, com João Gilberto e Stan Getz, foi gravado em março de 1963. Taylor, indeciso quanto a ele, engavetou a fita. Quando a ouviu de novo, no começo de 1964, achou que um single com o "The Girl" de Astrud poderia pegar. Lançou-o e, para sua surpresa, as pessoas se atiraram. Então vieram o LP, o Top 5 na *Billboard*, a disputa com os Beatles pelo primeiro lugar, os cinco ou seis Grammys e toda uma carreira para Astrud.

Como explicar esse sucesso instantâneo? Uma teoria é a de que os Estados Unidos estavam vivendo tempos difíceis, com o assassinato de John Kennedy em novembro de 1963 e o envio dos primeiros soldados para uma guerra sem sentido no Vietnã. De repente, surge uma garota de corpo dourado caminhando por uma praia chamada Ipanema — *"Ipa what?"* —, ao som de um ritmo morno e sensual. Parecia o cenário de um novo Shangri-La. E Astrud, que deu voz a essa garota, foi identificada com ela. Para os americanos, ela era a "garota de Ipanema".

Daí os muitos outros discos que gravou, os shows em boates e estádios e as aparições ao vivo e na TV. Durante anos, foi um dos maiores nomes do show business dos Estados Unidos. Hoje, quando os americanos mais velhos sentem saudade dos anos 60, eles se lembram de Astrud. Nós é que nunca assimilamos o seu sucesso.

No começo, ela ainda vinha ao Rio para ver a família. Estrelíssima na América, Astrud podia ir à praia em Ipanema ou comer um cachorro-quente na carrocinha do Geneal sem ter de assinar autógrafos. Em seu único show de verdade no Brasil, em 1966, foi vaiada.

O autor oculto

Em 2017, os herdeiros de Ary Barroso processaram a gravadora Sony por ela ter atribuído à cantora Inezita Barroso a autoria do samba "É luxo só", no encarte do DVD *Dois amigos*, de Caetano Veloso e Gilberto Gil. Os advogados da Sony foram à 44ª Vara Cível do Rio, onde corria o processo, e garantiram que, assim que tomou conhecimento do erro, a gravadora corrigiu o encarte, o press release e as demais peças do lançamento. Conversa. Ao fim da audiência, o advogado dos herdeiros de Ary foi à Livraria da Travessa, ali perto, e comprou um exemplar do DVD. E lá estava: "É luxo só", de Inezita Barroso.

A Sony detém hoje o acervo da extinta e gigantesca Victor, gravadora pela qual, entre 1930 e 1960, Ary Barroso lançou clássicos como "Faceira", "Maria" e "Morena boca de ouro", com Sylvio Caldas; "Na batucada da vida", com Carmen Miranda; "Camisa amarela", com Aracy de Almeida; "Os quindins de Iaiá", com Cyro Monteiro; "Risque", com Linda Baptista. Todos foram enormes sucessos em sua época e ajudaram a fazer a fortuna da Victor, agora controlada pela Sony. Se o departamento jurídico da Sony não souber quem foi Ary Barroso, vamos todos sentar no meio-fio e chorar.

E não seria o caso de apenas os herdeiros de Ary Barroso estrilarem com o erro na autoria de "É luxo só". Os de Luiz Peixoto, letrista de Ary nesse e em outros sambas, também deveriam ter entrado na briga para defender seu maior.

Esse tipo de desinformação atinge até os canais oficiais. Um documento recente do Ministério da Cultura atribuiu a autoria de "Chega de saudade", de Tom Jobim e Vinicius de Moraes, a João

Gilberto, seu intérprete. É como se houvesse uma conspiração contra os direitos dos compositores, transferindo a autoria de suas músicas e letras para os cantores que eventualmente as gravaram. Essa injustiça acontece o tempo todo nos canais da internet e, considerando-se que agora é esta que controla o acesso ao conhecimento mundial, já podemos contar com o fim do conceito de autoria. Dentro de alguns anos, não haverá mais compositores. Só intérpretes.

Inezita, que também era Barroso, mas não era parente de Ary, não tem culpa de nada. E nem sequer gravou "É luxo só".

O som que se pode enxergar

Rudy van Gelder foi um engenheiro de som a quem o mundo deve boa parte do jazz como o conhecemos. Sua especialidade eram os discos primorosamente gravados que saíam de sua casa-estúdio em Englewood Cliffs, Nova Jersey. Você conhece muitos deles: *Moanin'*, de Art Blakey, *Saxofone Colossus*, de Sonny Rollins, *John Coltrane & Johnny Hartman* — três discos de cabeceira de qualquer jazzófilo — e nada menos que outros 3 mil. Van Gelder morreu em 2016, aos 91 anos, e, que eu saiba, nenhum jornal brasileiro noticiou isso.

Você se perguntará por que tudo isso a respeito de Rudy van Gelder. Porque, por sua própria natureza de música improvisada, não escrita, o jazz só sobreviveu por ser gravado em discos. Foi o que lhe permitiu ser "aprendido" por músicos que não teriam outra forma de estudá-lo. E nem sempre as condições de gravação foram ideais — vide os discos do conjunto Hot Five, de Louis Armstrong, em 1925, um dos pilares do jazz, e o do concerto da orquestra de Benny Goodman no Carnegie Hall em 1938, com seus quase vinte músicos tocando ao mesmo tempo. Esses discos foram gravados, pasme, com um só microfone. Mas, desde que Van Gelder começou a trabalhar, em 1949, firmou-se um novo padrão.

Ele não era um produtor de discos. Não tinha influência sobre a música a ser gravada. Mas era o ditador absoluto de *como* ela deveria ser gravada. Diante de suas ordens, os maiores medalhões do jazz botavam seus instrumentos debaixo do braço e escutavam calados. Sua maestria no posicionamento dos microfones e dos próprios músicos criava uma sensação de perspectiva sonora. Era um som que se podia enxergar.

Quanto mais delicada a música, mais importante essa precisão. Foi Van Gelder o engenheiro de som em *Wave, Tide* e *Stone Flower*, os três LPs que Tom Jobim gravou para o produtor Creed Taylor entre 1967 e 1970, talvez os maiores discos instrumentais da bossa nova.

Numa época em que os artistas passaram a depender cada vez mais da tecnologia, Van Gelder pregava o contrário: que, com o infinito de recursos que se tem hoje num estúdio — pode-se fazer de qualquer afônico desafinado um grande cantor —, era obrigatório, mais do que nunca, vergar a tecnologia à criatividade humana.

Conspiração de silêncio

Em 2016, poucas semanas depois da morte do engenheiro de som Rudy van Gelder, responsável pela gravação de tantos grandes discos de jazz, a música popular parecia ter perdido outro baluarte: o arranjador alemão Claus Ogerman, famoso entre nós pelos seus sete LPs com Tom Jobim como arranjador. Um telefonema de Berlim me repassou a notícia, que estava circulando em surdina pelas internas: Claus Ogerman morrera. Mas ninguém sabia quando nem onde nem como. Pior: ninguém confirmava ou desmentia a informação.

Se era verdade que ele morrera, por que isso estaria sendo mantido em segredo? A página de Ogerman na internet registrava sua data de nascimento — 29 de abril de 1930 — e arriscava a de falecimento: 2016, sem nenhum outro dado. Ao mesmo tempo, o site do selo Verve, que controla 90% de sua obra, não acusava sua morte. Os amigos que ligavam para seu escritório em Munique, na Alemanha, só recebiam o silêncio como resposta.

Dois importantes colegas americanos de Claus, um produtor e um engenheiro de som, garantiam que ele havia morrido. Mas não queriam ser citados, o que reforçava a ideia de uma conspiração de silêncio. Produtores, músicos e cantores que trabalharam com Claus nos últimos dez anos comentaram que ele se queixava de estar velho e doente. Mas quantos, aos 85 anos, não se queixam disso?

Em minha opinião, Ogerman tinha uma dívida para com Tom. Já era um arranjador ativo, na Alemanha e nos Estados Unidos, mas algo opaco e sem estilo definido. Até que, em 1963, o produtor Creed Taylor o acoplou com Tom Jobim para a gravação do LP *The*

Composer of "Desafinado", Plays. O resto é história. Ogerman pôs no papel as cordas aveludadas que Jobim sempre teve na cabeça e talvez não soubesse escrever tão bem. Depois, juntos, fizeram *A Certain Mr. Jobim* (1967), *Wave* (1967), *Matita Perê* (1973), *Urubu* (1975) e *Terra Brasilis* (1980). E, ah, sim, *Francis Albert Sinatra & Antonio Carlos Jobim*, o primeiro LP de Sinatra com Tom, também de 1967. E adivinhe outro de seus troféus: *Amoroso* (1977), de João Gilberto. Foi como se as cordas de veludo de Tom tivessem se tornado sua propriedade.

Se existem casamentos no céu, o de Claus Ogerman com a bossa nova foi um. Sem ela, temo que Claus teria morrido solteiro. Se é que morreu.

Parentes terríveis

Durante dois meses de 2016, o mundo musical especulou sobre o rumor da possível morte do arranjador e maestro alemão Claus Ogerman, arranjador de Tom Jobim em discos fundamentais. Rumor este que fez com que os fãs de Ogerman, em três ou quatro continentes, se correspondessem em busca de confirmação. Tudo indicava que era verdade, porque senão o próprio Ogerman a desmentiria. Mas por que nenhuma fonte autorizada vinha esclarecer?

Então saiu a confirmação: Claus Ogerman morrera no dia 8 de março daquele ano, em Munique, na Alemanha. A informação veio de sua família, que não era bem uma família. Resumia-se a uma sobrinha de quem não se sabia o nome e nem por que cabia a ela cuidar dele. Mas o mistério continuou. A causa da morte não foi revelada.

E por que se demorou tanto para anunciar um fato que, por mais triste, não seria uma surpresa? Afinal, Ogerman tinha 85 anos. Para alguns, porque sua sobrinha não queria que se soubesse da morte do tio. Para outros, porque, como ela não sabia muito sobre ele, achou que a informação não interessaria a ninguém. E este é o lado mais insólito da história: como pode estar em mãos tão primárias a informação sobre se morreu ou não um homem cujos talentos estiveram a serviço de jazzistas como Bill Evans, Oscar Peterson, Stan Getz, Johnny Hodges, Wes Montgomery, e cantores como Mel Tormé, Sammy Davis Jr., Barbra Streisand, João Gilberto e Frank Sinatra. E Tom Jobim.

Em 2004, estive em Várzea de Ovelha, terra natal de Carmen Miranda, no norte de Portugal, e conversei com uma senhora de

169

seus setenta e tal anos, prima de Carmen em segundo grau. Ela me descreveu as diabruras da menina Carmen naquela região antes de vir para o Brasil — de como era sapeca, corria pelas ruas, gostava de cantar e de dançar e namorava os rapazes da cidade. Tomei nota de tudo e agradeci. Não lhe contei que, se Carmen tivesse feito tudo aquilo, seria um fenômeno — porque saiu de Várzea de Ovelha para o Brasil em 1909, aos nove meses de idade, e nunca mais voltou.

Alguns parentes falam demais. Outros, de menos.

4
VOU TE CONTAR

Às portas da ABL

O editor José Mario Pereira revelou a amigos que Tom Jobim, em 1993, esteve a ponto de entrar para a Academia Brasileira de Letras, na vaga do jornalista Austregésilo de Athayde. O estímulo para a candidatura de Tom fora do próprio Zé Mario, em almoço com ele na Plataforma. O maestro gostou da ideia, e o editor sondou um influente acadêmico. As perspectivas eram das mais favoráveis, este garantiu, falando por vários confrades. E, então, instruído por Zé Mario, Tom escreveu uma carta e fez uma visita ao presidente da Academia, Josué Montello, lançando-se para a vaga de Austregesilo. Era barbada.

Se havia um músico afeito às letras era Tom. Não parecia se interessar por música, só falava de palavras. Era leitor de poesia e citava poemas ou versos que acabara de ler ou que, em jovem, aprendera com os tios. Seu pai, Jorge Jobim, era poeta — de segunda, mas era. E Tom tinha fascínio por duas instituições: a Mata Atlântica e a língua portuguesa. Para ele, era tudo uma coisa só. Sabia nomear cada planta, bicho, acidente geográfico, tipo de vento e de estrela no céu. Certa vez, num avião, descobriu que a aeronave estava voltando porque as estrelas não estavam onde deveriam estar.

Morando sozinho em Nova York em 1963, chegava ao hotel e, depois de passar o dia falando inglês, recitava em voz alta coisas como "pão, feijão, alemão, João, me dá um cafezinho, que eu estou fraquinho sentado nesse banquinho". Era para "pôr o maxilar no lugar", dizia. E, em sua carreira, não se limitou a escrever letras como as de "Corcovado", "Fotografia", "Samba do avião" ou "Águas de março" — a partir de certo momento, cada bilhetinho, cada autógrafo, cada texto que lhe pediam era uma pequena peça literária. Aprendeu muito com Vinicius, ao ter o privilégio de vê-lo escrever, juntar as palavras, criar pequenos mundos.

Quando sua candidatura à Academia estava para se tornar pública, Tom ouviu que um amigo, o romancista Antonio Callado, também iria concorrer. Callado não sabia que Tom estava no páreo. Então Tom retirou sua candidatura. "Callado tem preferência", explicou. O amigo foi eleito, e Tom deixou seu pleito para outra vez.

Mas não houve outra vez. Tom morreu oito meses depois. Com isso, deixou de ser o primeiro de uma linhagem, hoje natural, numa academia de letras: a da palavra cantada.

Amigo é assim

Paulo Cezar Saraceni foi o cineasta mais pobre que já existiu. Não ligava para dinheiro, não acreditava em dinheiro e, não se sabe como, fazia filmes sem dinheiro. Aliás, sabe-se, sim. Os amigos acreditavam em seus filmes, queriam participar deles, e o cachê era o de menos. Esses amigos eram Leila Diniz, Raul Cortez, Marilia Pêra, Ney Latorraca, Hugo Carvana, muitos mais — e Antonio Carlos Jobim. Em 1962, antes da explosão de "Garota de Ipanema", os americanos já estavam loucos por Tom por causa de "Desafinado" e "Samba de uma nota só". Para construir sua carreira nos Estados Unidos, bastava que fosse para lá — e ficasse.

Pois, justamente naquele ano em que já podia conquistar o mundo, Tom, num papo de botequim com Saraceni, ofereceu uma canção para o filme que o amigo estava rodando, chamado *Porto das Caixas*. Ofereceu porque ofereceu — porque gostava de Porto das Caixas, perto de Cabo Frio, e de Saraceni. E ali nasceu a "Valsa do Porto das Caixas", uma das peças mais bonitas e delicadas da obra de Tom.

Em 1964, com "The Girl from Ipanema" por Astrud Gilberto nas paradas e Tom já em Nova York, Hollywood voltou com as propostas para que ele escrevesse a trilha sonora de seus filmes. Tom recusou-as todas, entre as quais a de *A Pantera Cor-de-Rosa*, com Peter Sellers, naquele ano, e a de *Um caminho para dois*, em 1967, com Audrey Hepburn. E por que Tom as recusava? "Porque o galã entra no carro e ouve-se uma musiquinha de dez segundos", ele dizia. "O galã chega a algum lugar e ouve-se outra musiquinha de dez segundos. Isso não é música." À falta de Tom, convidaram

175

Henry Mancini, que não se importava de fazer o que Tom não faria — e ganhou mais alguns Oscars com esses trabalhos. Os produtores americanos vinham ao Rio em busca de Tom e ficavam malucos porque ele ia se esconder no mato, não os recebia.

De outra vez, em 1970, Tom estava de novo a uma mesa com Saraceni. Este lhe falou de seu novo filme, *A casa assassinada*, baseado no romance de Lucio Cardoso *Crônica da casa assassinada*. Tom gostava do romance, gostava de Lucio Cardoso e continuava gostando de Saraceni. E assim, sem que Saraceni pedisse, Tom ofereceu-lhe uma canção, que seria "Crônica da casa assassinada" — lançada no filme de Saraceni e, depois de ampliada, incluída por Tom no disco *Matita Perê*.

Amigo é assim.

Cantando para Billy

O ano é 2010. Billy Blanco, sambista brasileiro, carioca do Pará, autor de "Estatuto de gafieira", "Viva meu samba", "Pistom de gafieira", "Aeromoça", "Pano legal", e, em São Paulo, mais conhecido pelo "Vam'bora, vam'bora/ Tá na hora/ Vam'bora, vam'bora" de sua sinfonia *Paulistana*, está em um hospital por causa de um AVC. Billy não se mexe nem fala. Sabe-se que está consciente porque, às vezes, abre os olhos e chora em silêncio.

Chora de emoção. Os parentes e os amigos que o visitam não querem se arriscar a que, por trás dos olhos fechados e do semblante tranquilo, Billy os esteja ouvindo e entendendo tudo. Por isso, em vez de se lamentarem em voz alta pela sua sorte, preferem cantar sua música para ele. E, vindo de Billy, de sua habilidade para fazer samba com humor e palavras, há muito que cantar.

Doris Monteiro canta para ele "Mocinho bonito" e "A banca do distinto", que Billy lhe deu nos anos 50 e a transformaram de uma cantora romântica em cantora de bossa. Pery Ribeiro, seu velho amigo, "Esperança perdida". Leila Pinheiro, "Domingo azul", um clássico cult da bossa nova. Bilinho, filho de Billy, põe para tocar o CD com a *Sinfonia do Rio de Janeiro*, parceria de Billy com Tom Jobim — "Rio de Janeiro, que eu sempre hei de amar // Rio de Janeiro, a montanha, o sol, o mar…", e todos se juntam em coro. Um dos netos de Billy, Pedro Sol, faz um dueto com Bilinho em outra parceria Blanco-Jobim, a safada "Teresa da praia". Depois, Bilinho e Pedro Sol alternam entre "Samba triste" e "Se gente grande soubesse", ambas das mais bonitas de Billy.

O hospital fica na rua Moura Brito, na Tijuca, no mesmo quarteirão e calçada onde, em 1950, num porão, funcionava o lendário Sinatra-Farney Fan Club. Dele saíram grandes nomes do samba-canção e da futura bossa nova, como Nora Ney, Johnny Alf, João Donato e Paulo Moura. Billy também o frequentava, mas não apenas pela música. Estava de olho em Ruth, uma bela associada, com quem se casou — para sempre.

Em dias mais felizes, muitos ali naquele quarto dividiram palcos com Billy. Mas, para eles, nunca um palco pareceu tão grande e vazio como aquele quarto de hospital.

Humor de Billy

Quando Dick Farney e Lucio Alves gravaram "Teresa da praia", de Billy Blanco e Tom Jobim, em 1954, a letra encantava de saída: [Lucio] "Ô Dick, arranjei novo amor no Leblon / Que corpo bonito, que pele morena / Que amor de pequena, amar é tão bom…" / [Dick] "Ô Lucio, ela tem o nariz levantado? / Os olhos verdinhos, bastante puxados? Cabelo castanho e uma pinta do lado?".

Segue o samba, e os rapazes descobrem que a moça que conheceram no Leblon e pela qual se apaixonaram ("É a minha Teresa da praia!") deu, digamos, amor a ambos, um de cada vez. [Dick] "O verão passou todo comigo!" / [Lucio] "É, mas no inverno se esquentou com quem?" E resolvem "a Teresa na praia deixar / aos beijos do sol / e abraços do mar", porque "Teresa é da praia, não é de ninguém".

Teresa podia ser da praia, mas não da praia do Leblon. Em 1954, o Leblon era um bairro solidamente residencial e família, com igreja, armazém, farmácia e, às vezes, até um circo montado em plena avenida Afrânio de Mello Franco. Quem não morasse lá não tinha por que visitá-lo — exceto para fins imorais. E, para isso, sim, o longínquo e quase despovoado Leblon era tão atraente quanto a Barra, o Joá ou Paquetá. No fim da praia ficava o Hotel Leblon, o primeiro "motel" do Brasil, e, à noite, a praia, com sua areia deserta e sem luz, era um convite a nheco-nhecos à milanesa, sobretudo entre os jovens. Donde "ser visto" no Leblon costumava implicar alguma bandalheira.

Billy Blanco morreu em 2011. "Teresa da praia" fora o começo de sua breve, mas fecunda parceria com Jobim, que renderia ainda

"Esperança perdida" ("Eu pra você fui mais um...") e os dez sambas da *Sinfonia do Rio de Janeiro*. E foi sem Tom, morto muito antes, que Billy escreveu uma nova versão de "Teresa da praia", mesmo sabendo que seria quase impossível cantá-la em nossos tempos politicamente corretos. Mas o que ele podia fazer, se a garota havia mudado?

"Ela usa o nariz só de um lado/ O olho vermelho/ Bastante injetado/ Cabelo na venta/ E sapato 40// Essa é a tua Teresa da praia/ No Leblon, não engana ninguém// O meu caso é um rabo de saia// Vai com calma, que é o dela também."

Havia um mundo

Anos atrás, à saída de uma reunião na Companhia das Letras, em São Paulo, vi sobre um móvel pôsteres de meu livro *Ela é carioca: Uma enciclopédia de Ipanema*. Eram sobras da campanha do lançamento, em 1999. Perguntei se podia levar alguns. "Claro", disseram, e saí com eles enrolados debaixo do braço.

À porta da editora, tomei um táxi para Congonhas e, no primeiro sinal, um carro parou ao lado com um casal e dois jovens. O homem ao volante me viu e disse: "Ruy! Somos seus leitores, a família toda! Nosso livro favorito é *Ela é carioca*!". Respondi: "Que bom! Tenho uma surpresa pra vocês!". E passei-lhe um rolo pela janela. O sinal abriu, o táxi arrancou e eles ficaram para trás. Nunca soube quem eram e o que sentiram ao abrir o pôster e ver a capa criada por Hélio de Almeida, com a menina de biquíni amarelo, o bonde e o morro Dois Irmãos ao fundo.

Ela é carioca contém 238 verbetes de pessoas e instituições que, de 1920 a 1970, tornaram Ipanema — primeiro, em surdina; depois, com estrépito — algo à parte no Brasil. Era uma província de cosmopolitas, composta de gente criativa, sensual, rebelde, corajosa, quase suicida. E em que ninguém era melhor do que ninguém — alguns liam Kant, outros a direção do vento, e todos eram iguais debaixo do sol.

Seus primeiros moradores ilustres, em fins dos anos 1910, foram o médico Alvaro Alvim, pioneiro da radiologia, o múltiplo João do Rio e o gênio Ernesto Nazareth. Depois, em suas várias eras geológicas, Ipanema pertenceu a Tom Jobim, Vinicius de Moraes, Millôr Fernandes, Rubem Braga, Tonia Carrero, Leila Diniz,

Danuza Leão, Glauber Rocha, Ferreira Gullar, João Saldanha, Paulo Francis, Helio Oiticica, Josué de Castro, Lucio Cardoso, Mario Pedrosa, Cazuza, Zuzu Angel. Gerou a bossa nova, o Cinema Novo, a esquerda festiva, a revista *Senhor* e o *Pasquim*. Ao ler meu livro, uma amiga de São Paulo arriscou: "Foi uma Semana de Arte Moderna que durou cinquenta anos!". Concordei, mas observando que cada minuto desses cinquenta anos está solidamente documentado.

Tom Jobim foi meio que uma síntese disso tudo. Cresceu em Ipanema, teve a praia como quintal, era íntimo de tudo que voasse ou nadasse e fez dos botequins do bairro seu segundo lar. Seus amigos eram os pescadores e os intelectuais. E, ao abrir o piano, revolucionou a música popular. Um dia, saiu de Ipanema e foi morar longe. E só então descobriu que havia um mundo em volta.

Idiota, tá o.k.; de Ipanema, jamais

Em 2019, primeiro ano da Idade das Trevas brasileira, o principal canal estatal de televisão da Alemanha dedicou um programa, *Extra 3*, a narrar as primeiras façanhas de Jair Bolsonaro como presidente do Brasil. Entre elas, o uso da motosserra para proteger a Amazônia, a franquia à entrada de garimpeiros ilegais para devastar os territórios indígenas e seu sonho de transformar o país num pasto ou canavial. O programa era humorístico, e até aí nada demais, porque sob Bolsonaro o Brasil se tornara rapidamente uma piada mundial. Mas, em certo momento, o apresentador Christian Ehring exibiu uma montagem fotográfica de Bolsonaro usando uma espécie de tanga, com o morro Dois Irmãos ao fundo, e o título: *"Bolsonaro, der Depp von Ipanema"*. Ou: "Bolsonaro, o idiota de Ipanema".

Epa! Como se atreve? Isso é inadmissível! Idiota, tá o.k. Mas, de Ipanema, não! Bolsonaro nunca teve nada a ver com Ipanema. Matuto de Glicério (SP) e residente desde os anos 80 em Brasília, sua única ligação com o Rio foi o quartel da Vila Militar, onde morou quando soldado, e uma casa num condomínio da Barra, que mantém até hoje, vizinho das milícias de Jacarepaguá e onde às vezes promove churrascos e concursos de tiro com seus amigos. Jamais pisou a areia de Ipanema.

Não há hipótese de ele ser confundido com o bairro que, nos últimos cem anos, foi o palco das revoluções brasileiras em comportamento, moda, artes plásticas, cinema, teatro, música popular, imprensa, colunismo social, cartum, fotografia, televisão, esporte, design, boemia, Carnaval, praia e até psicanálise. E também o bairro da turma da esquerda, tanto a festiva quanto a armada, dos botequins lendários, das grávidas de biquíni e, depois, de tanga e asa-delta, dos vapores baratos nas areias escaldantes e das grã-finas que se misturavam com os mortais.

O bairro de gente atrevida e libertária, sem censura, habituada a dizer as coisas na lata, indiferente aos galões de quem estivesse escutando, e que, em muitos casos, pagou caro por isso. Onde as moças davam para todo mundo, mas só para quem elas quisessem, onde vivia-se muito bem com pouco dinheiro e onde o sucesso profissional não comprava a integridade. O bairro de Tom Jobim.

O jeca Bolsonaro não se sentiria bem num lugar desses. Pouco família, digo pouco quadrilha, para os seus padrões.

Provocação e prova

Eduardo Bolsonaro, o filho Zero Três de Jair Bolsonaro, usou numa postagem política uma canção de Chico Buarque, "Roda viva", sem lhe pedir autorização. Zero Três detesta Chico Buarque e deve odiar "Roda viva", um hino contra a ditadura militar que Zero Três defende. Donde, ao se apropriar indevidamente de "Roda viva", queria apenas provocar Chico Buarque e obrigá-lo a um processo. O processo aconteceu. E, para surpresa geral, uma juíza deu o primeiro ganho de causa a Zero Três, por Chico Buarque "não poder provar sua autoria de 'Roda viva'".

Roda viva foi título e tema de uma peça de teatro de Chico Buarque que estreou no dia 15 de janeiro de 1968, no Teatro Princesa Isabel, em Copacabana, no Rio. Eu morava então no Solar da Fossa, quase na boca do Túnel Novo. Minha colega do *Correio da Manhã*, Germana de Lamare, era amiga de José Celso Martinez Corrêa, diretor do espetáculo. Todo fim de tarde, naquele verão de 1967-68, ela me apanhava com seu fusca no Solar, atravessávamos o túnel e íamos ver os ensaios de *Roda viva*.

Lembro-me da noite em que o elenco, com a jovem Marieta Severo, aprendeu a canção. Era impossível ficar indiferente à letra e àquele ritmo de ciranda — uma ciranda adulta, inexorável, sinistra: "Tem dias que a gente se sente/ Como quem partiu ou morreu/ A gente estancou de repente/ Ou foi o mundo então que cresceu...". Ao escutá-la, ainda crua, ninguém se preocupou em pedir provas a Chico Buarque de que a canção fosse dele.

Mesmo porque, se não fosse, de quem seria? Todos os outros grandes nomes da música popular estavam ocupados naquele incrível ano de 1968: Tom Jobim compondo (com o próprio Chico Buarque) "Sabiá"; Caetano Veloso, "Baby"; Geraldo Vandré, "Caminhando (Para não dizer que não falei de flores)"; Cartola, "Tive, sim"; Antonio Adolfo e Tiberio Gaspar, "Sá Marina"; Gilberto Gil e Capinam, "Soy loco por ti, América"; Baden Powell e Paulo Cesar Pinheiro, "Lapinha"; Nonato Buzar, "Vesti azul"; Paulinho da Viola e Hermínio Bello de Carvalho, "Sei lá, Mangueira"; o mesmo Hermínio com Elton Medeiros, "Pressentimento"; e o incansável Hermínio com Mauricio Tapajós, "Mudando de conversa". Etc. etc. Donde "Roda viva" só podia ser dele, Chico.

Ninguém teve mais canções perseguidas pela ditadura do que Chico Buarque. Ao proibi-las, os censores não lhe exigiam provas de que ele era o autor delas.

Querido Leblon

Volta e meia ouço referências ao Leblon como um bairro nefasto para o Brasil. Essa campanha recrudesceu em 2015, quando um bando de bêbados interpelou Chico Buarque na rua por ser petista. Os comentários sugerem que o Leblon, por ser um bairro à beira-mar e ter um dos metros quadrados mais caros do país, é um antro de coxinhas, golpistas, reacionários, empresários, banqueiros, capitalistas, latifundiários, padeiros, sorveteiros, vendedores de cosméticos e outros carrascos do povo brasileiro.

Esses comentários partem de pessoas que não frequentam o Leblon. Talvez não o conheçam nem de vista. Se conhecessem saberiam que, durante o dia, é um recanto ameno, delicioso e acolhedor. À noite, sim, um inferno de restaurantes e botequins com calçadas apinhadas por 90% de pessoas vindas de outros bairros ou cidades. Não sei a cor política dessas pessoas, mas não vejo por que tornariam o Leblon mais conservador do que, digamos, o Jardim Europa, em São Paulo, ou a Asa Sul, em Brasília.

E poucos bairros no Brasil terão uma história política tão tragicamente rica. Num dos seus muitos predinhos de quatro andares, sem garagem e sem elevador, até hoje de pé, organizou-se o sequestro do embaixador americano Charles Elbrick, em 1969. Também ficava no Leblon a casa na rua Almirante Pereira Guimarães da qual, em 1971, o deputado Rubens Paiva foi levado pelo Exército para a tortura e a morte. Por acaso, a mesma rua do ateliê da estilista Zuzu Angel, assassinada pela ditadura em 1976, cujo filho Stuart, morto na tortura idem em 1971, fora remador do Flamengo — o qual, já ia me esquecendo, também fica no Leblon.

No Jardim de Alah moraram Leila Diniz, Raul Seixas e Oduvaldo Vianna Filho. Em várias ruas, os escritores Rubem Fonseca, Paulo Mendes Campos, Antonio Callado e João Ubaldo Ribeiro. Numa esquina da praia, Dorival Caymmi. Nenhum deles coxinha. E onde se reuniam Cazuza e sua turma? Nos bares do Baixo Leblon. Mesmo hoje, muita gente boa mora no Leblon. O novelista Manuel Carlos. Os compositores e cantores Fagner, Alceu Valença, Guinga, Zé Renato. E, até há pouco, João Gilberto.

Sem falar em Tom Jobim. Cidadão do Jardim Botânico, Tom fazia quase tudo no Leblon. Almoçava na Plataforma ou na Academia da Cachaça e passava os sábados nas mesas do Arataca, na Cobal. Comprava pão na Confeitaria Rio-Lisboa, remédio na Farmácia Piauí, revistas na banca em frente e flores para Ana, sua mulher, na Flora N. Sra. de Fátima, no outro lado da rua. Pelo visto, só ia a casa para dormir.

Pela primeira vez

Em 1962, aos 51 anos, Vinicius de Moraes estreou em livro como cronista, com a publicação de *Para viver um grande amor*. Os que já o admiravam como poeta sentiram que, se quisesse, Vinicius sustentaria um tranquilo mano a mano com os então bambas do gênero: seus amigos Rubem Braga, Paulo Mendes Campos, Fernando Sabino e Elsie Lessa.

Foi também em 1962 que Vinicius escreveu suas últimas canções com Tom Jobim, inclusive a maior delas, "Garota de Ipanema", e as primeiras com Baden Powell: "Berimbau", "O astronauta", "Consolação", "Samba em prelúdio", "Samba da bênção". E em que produziu belezas em série com Carlos Lyra, como "Primavera", "Minha namorada", "Sabe você", "Maria Moita" e "Marcha da Quarta-Feira de Cinzas", todas para o musical criado por eles, *Pobre menina rica*.

Em agosto daquele mesmo ano, Vinicius subiu pela primeira vez em um palco para cantar como profissional: o da boate Bon Gourmet, em Copacabana, no show *O encontro*, com Tom, João Gilberto e Os Cariocas. O Itamaraty queria proibi-lo — afinal, Vinicius era um sóbrio diplomata, ou devia ser. Mas ele cantou assim mesmo. E, semanas antes, aplacando uma ancestral paixão pelo cinema, dirigira um filme, *Azul e branco*, um curta sobre os azulejos de Portinari no prédio do Ministério da Educação, no Rio.

Ainda em 1962, Vinicius compôs em parceria com dois de seus heróis na música brasileira: Ary Barroso, com quem fez "Rancho das namoradas", e Pixinguinha, letrando doze canções do mestre usadas no filme *Sol sobre a lama*, de Alex Viany — duas delas, o choro "Lamento" e o samba "Mundo melhor". E, antes da virada para 1963, gravou seu primeiro LP como cantor: *Vinicius & Odette Lara*, inaugurando o selo Elenco, de Aloysio de Oliveira. Que ano de estreias para Vinicius!

Mas o destino não deixa barato. Ao se despedir de Vinicius, 1962 marcou também o fim de seu casamento com a mulher que, segundo dizem, ele mais amou: a bela, culta e fina Lucia Proença, musa de *Para viver um grande amor*. Tristeza não tem fim, felicidade, sim.

Vou te contar

A vida de todo artista é feita de imprevistos, alguns mágicos. No caso de um compositor, eles podem se dar no momento da criação. De onde veio esse ou aquele acorde com que nem ele contava? E essa sequência de notas? Por que, de repente, tal canção parece ter sido feita para o cantor X e nenhum outro? E o que garante que, com o título tal e não qual, a canção vá ser um sucesso?

Tom Jobim não trabalhava em função do sucesso. Cada canção lhe tomava semanas ao piano, em casa, longe dos olhos dos críticos, dos ouvintes e talvez até de seus parceiros. Os que o viam bebendo com os amigos nos restaurantes não sabiam que, naquele dia, por sempre acordar cedo, ele já havia passado horas combinando notas, ritmos e harmonias até ficar satisfeito. Muitas de suas canções que nunca saíram da primeira gravação lhe custaram o mesmo tempo de "Wave".

"Desafinado", que ele fez com Newton Mendonça em 1958, já foi considerada um "manifesto da bossa nova". E desde quando Tom e Newton eram homens de manifestos? "Desafinado" foi feita para que eles pagassem o aluguel. Era uma crítica aos cantores desafinados das boates que, de propósito, exigia grande afinação para ser cantada. O próprio verso "Fotografei você na minha Rolleiflex", incomum para a época, era uma prova da brincadeira. Tom e Newton não imaginaram o quanto, gravada por João Gilberto, "Desafinado" representaria para eles e para a música popular.

Já "Wave", de 1967, Tom sabia que iria pegar. Escolheu-a como título e faixa de abertura do disco instrumental que gravou em Nova York para Creed Taylor naquele ano — o "disco da girafa", como ficou conhecido pela foto na capa. Quando entrevistei Tom em março de 1968, falei-lhe da faixa de que mais gostara, "The Red Blouse". Ele respondeu: "É, mas o sucesso vai ser 'Wave'". Como ele podia adivinhar? "Wave" ainda nem tinha letra.

Tom a pediu a um jovem letrista, Ronaldo Bastos, amigo de seu filho Paulinho. Ronaldo hesitou — tinha dezenove anos, como podia ser parceiro de Tom Jobim? Tom insistiu: "Você não quer ficar rico? Essa música vai ser um estouro!". Mas Ronaldo disfarçou e correu. Tom pediu-a então a Chico Buarque, que também remanchou, deu-lhe o verso inicial, "Vou te contar...", e sumiu. Tom, então, não teve alternativa. Escreveu ele próprio o resto da letra — "Vou te contar / O que os olhos já nem podem ver / Coisas que só o coração pode entender..." — e ficou rico com ela.

O disco da girafa

A girafa na savana, senhora do cenário, o horizonte cortando-a pelo pescoço e dividindo o quadro em vermelho e púrpura. Grande foto. Outra foto, esta mais convencional para os cariocas, mas espetacular para os profanos, mostra um Cristo Redentor que parece flutuar sobre um Corcovado invisível, encoberto pelas nuvens, envolvido por tinturas de azul e preto. E uma terceira, que faria história, é a da silhueta de um homem fumando, o cigarro a centímetros da boca aberta, ambos, cigarro e boca, liberando fios quase invisíveis de fumaça.

Essas fotos estão na capa de três LPs de Tom Jobim: respectivamente *Wave*, *Tide* e *Stone Flower*, todos produzidos pelo mesmo homem, Creed Taylor, e gravados no estúdio de Rudy van Gelder, em Nova Jersey, entre 1967 e 1970. E todas as fotos são de autoria de Pete Turner (1934-2017), um fotógrafo que não se contentava com a realidade que entrava por suas lentes — tinha de corrigi-la e aperfeiçoá-la com filtros, ampliações, duplicações, duplas exposições ou transcrições de cromo para papel e vice-versa. Pode-se dizer que o que Pete Turner fotografava não existia. E daí? Depois de recriado por ele naqueles tempos sem Photoshop, passava a existir.

Das três fotos, só a da girafa não foi feita para os discos de Tom. Ocorreu a Turner por acaso, em 1964, quando ele estava fotografando o Amboseli National Park, no Quênia, e a solitária girafa entrou de repente no quadro. Ele clicou. O vermelho e o púrpura já estavam ali, mas apenas esboçados. Turner lhes deu vida no laboratório.

E o que o brasileiro Tom Jobim teria a ver com uma girafa africana na capa de um disco? Em princípio, nada, exceto sua igual preocupação pelos animais que galopavam pelo semiárido tentando manter distância das armas, um deles a girafa. Mas as armas nas mãos de Turner não pareciam incomodá-la — sua munição não eram calibres pesados, mas chapas em 35 milímetros ou 6 × 6. A foto se tornou a capa de *Wave* e, quando se põe o disco para tocar, é como se a música pertencesse àquela imagem, como se nascida com ela.

Nos anos 80, para as novas edições de *Wave*, Turner trocou o vermelho por verde e o púrpura por azul. Talvez quisesse criar uma ainda mais nova realidade. E, se não tivesse morrido em 2018, aos 83 anos, um dia trocaria essas cores por sabe-se lá quais outras.

Homens invisíveis

Em 2022, quando o produtor fonográfico americano Creed Taylor morreu nos Estados Unidos, fiz um teste. Esperei alguns dias para ver se, por causa dele, leria na nossa imprensa algum artigo sobre essa categoria profissional sem a qual os discos que amamos não existiriam. Em vão. Os produtores são os homens invisíveis. Para os leigos, quem decide tudo num disco é o cantor — escolhe as músicas, os músicos e os arranjadores, dirige a gravação, decide como vai ser a capa e ainda canta. Mas não é assim. Quem faz tudo isso, exceto cantar, é o produtor. No tempo em que os discos dominavam a Terra, não houve artista que não dependesse de um deles. Foi da cabeça e do coração de Creed Taylor que saíram *Getz/Gilberto* e os discos americanos de Tom Jobim: *Wave, Tide, Stone Flower* e *The Composer of "Desafinado", Plays*.

Outro produtor fundamental foi Goddard Lieberson, chefe da Columbia/CBS durante quase vinte anos. Foi ele quem, em 1940, criou os álbuns de 78 rpm, com três ou quatro discos em cada, e, em 1948, comprimiu-os em um único disco em 33 rpm, o LP, que continuou a ser chamado de "álbum". Também na Columbia, foi um homem chamado John Hammond quem descobriu e moldou as carreiras de Benny Goodman, Billie Holiday, Count Basie, Harry James, Aretha Franklin, Pete Seeger, Bob Dylan, George Benson e até Bruce Springsteen. Hammond era egresso de uma família rica, os Vanderbilt, mas só queria saber de descobrir músicos de jazz e cantores de protesto. E, assim que os descobria, tornava-se seu produtor — e meio que dono deles.

Quem foi o responsável pelos songbooks de Cole Porter, George

Gershwin, Irving Berlin e outros, cantados por Ella Fitzgerald? Norman Granz, na Verve. Quem misturou gospel com rhythm and blues e lançou Ray Charles? Nesuhi Ertegün, na Atlantic. Quem fez da Motown o berço da soul music? Berry Gordy Jr. E quem foi chamado de "o quinto Beatle"? O produtor deles, George Martin.

No Brasil, Armando Pittigliani, na Philips, Aloysio de Oliveira, na Odeon, também na Philips e na Elenco, e Roberto Quartin, na Forma, foram produtores essenciais da bossa nova. Foi Pittigliani quem lançou Sergio Mendes, Jorge Ben e Elis Regina, que tal?

E quem diria que, como produtor na quase nanica Continental dos anos 40 e 50, João de Barro, o Braguinha, famoso pelas marchinhas de Carnaval, seria o lançador de alguns dos principais nomes do samba-canção? Dick Farney, Lucio Alves, Doris Monteiro, Nora Ney, Tito Madi, Jamelão e, ora, vejam só, Tom Jobim.

Sapato de camurça

Falando dos produtores de discos — os profissionais sem os quais inúmeros artistas não chegariam ao público e talvez sequer a um estúdio de gravação —, citei Aloysio de Oliveira. Em 1958, foi ele quem armou na Odeon o primeiro grande time da bossa nova — João Gilberto, Tom Jobim, Sylvia Telles, Roberto Menescal, Sergio Ricardo, Lucio Alves, Luiz Bonfá. Em 1961, Aloysio mudou-se para a Philips e levou metade dessa turma com ele. Em 1962, saiu de novo, mas para fundar a Elenco, e lá se foram eles com Aloysio. De passagem, ele revelou também Baden Powell, Edu Lobo, Nara Leão. E ainda se casou com Sylvinha Telles e depois com Cyva, do Quarteto em Cy.

Aloysio fez de tudo na vida, geralmente bem, mas nunca foi uma unanimidade. Seus antigos parceiros do Bando da Lua, o grupo vocal que ele ajudou a fundar em 1930, nunca o perdoaram por ter se apoderado da marca quando o Bando se desfez, em Hollywood, em 1943. Carmen Miranda, com quem ele foi para os Estados Unidos em 1939 como namorado, quase noivo, despromoveu-o a seu funcionário em 1948. E Tom Jobim se queixou comigo de que Aloysio entregou a bossa nova de bandeja a Ray Gilbert, o americano que botou letras medíocres em inglês nas canções dele, Tom, e ficou com o grosso do dinheiro que elas renderam na América.

Uma das personae de Aloysio era como letrista, e ninguém mais eclético nesse quesito. Tanto podia escrever maravilhas como "Ah, Dindi/ Se um dia você for embora/ Me leva contigo, Dindi/ Fica, Dindi/ Olha, Dindi", para Tom, quanto transformar "In the Mood", o sucesso de Glenn Miller, no hilariante "Edmundo" —

aquele que, de tão distraído, foi para a cozinha e fritou o roupão, a água da banheira ele mexeu com a colher e, depois de passar pasta de dente no pão, foi se lavar na xícara de café.

Em 1957, ao mesmo tempo que produzia os finíssimos discos de Lucio Alves ainda na Odeon, Aloysio rebaixou-se a transformar "Blue Suede Shoes", de Carl Perkins, do então ameaçador rock 'n' roll, em "Não pise no sapato", que ele próprio gravou como cantor, sob seu nome americano Louis Oliveira.

A letra dizia: "Gasta o meu dinheiro/ Rasga a minha roupa/ Diga a toda gente/ Que minha vergonha é pouca/ Mas não me pise no sapato/ No meu sapato novo// Não seja amiga ursa/ Que meu sapato é de camurça.// Dá na minha cara/ Diz que eu sou ladrão/ Manda me prender/ Pelo Cosme e Damião// Mas não me pise no sapato/ No meu sapato novo". Assim era Aloysio — vergonha pouca.

Exemplo de generosidade

Em 1952, um italiano, Alberico Campana, 25 anos, desceu de um navio no Rio. Cruzou a praça Mauá e escutou, saindo de um alto-falante, o samba-canção "Se eu morresse amanhã". Não entendeu a letra, mas se encantou com a melodia (ambas, ele só depois saberia, de Antonio Maria) e com a cantora, Dircinha Baptista. Por causa da música, ele, que estava de passagem rumo a Buenos Aires, decidiu ficar. Trabalhou de cozinheiro em restaurantes italianos e, dois anos depois, abriu sua própria casa, o Little Club, num beco da rua Duvivier, em Copacabana — o futuro Beco das Garrafas.

Pelo palco do Little Club em seus primeiros tempos passaram Doris Monteiro, Tito Madi e a cantora pela qual Alberico se apaixonou: Dolores Duran. Alberico, falante e romântico como tantos italianos, nunca se declarou a ela. Dolores morreu em 1959, poucas horas depois de um show no Little Club. Nunca houve nada entre eles, e décadas depois, ao me falar dela, Alberico deixou escapar uma lágrima.

Por volta de 1960, outras vozes surgiram no cenário musical, e Alberico estava atento: era a bossa nova. Comprou o espacinho no Beco ao lado do Little Club e fez ali outra boate, o Bottles. O Beco era agora o feudo de feras como Johnny Alf, Leny Andrade, Wilson Simonal e dos cobras do samba-jazz, como Sergio Mendes, Raul de Souza e Tenorio Jr. Um dia, em 1966, veio a ditadura do iê-iê-iê e o Beco acabou. Mas Alberico não se rendeu. Espalhou-se pelo resto da cidade, abrindo e fechando casas que sempre serviam duas coisas: boa comida e boa música.

A grande conquista de Alberico, no entanto, foi a amizade de um homem que pouco frequentara o Beco das Garrafas e, por qualquer motivo ou sem nenhum, nunca se apresentara lá: Tom Jobim. Conheceram-se para valer nos anos 70 e não mais se largaram. Quando Alberico criou a Plataforma, uma churrascaria no Leblon, passaram a se ver todos os dias. Tom chegava para o almoço, às vezes trazendo um peixe que ganhara de algum pescador e levava para Alberico mandar preparar. Sentavam-se à mesa da entrada e retomavam o papo da véspera como se não tivesse havido uma noite de permeio.

Alberico achava o Rio a cidade mais generosa do mundo. "A paisagem, a cidade, o povo, tudo aqui é generoso. Até a nossa esculhambação é generosa", ele dizia. Mas o generoso era Alberico: as "penduras" de alguns clientes da Plataforma tinham metros de comprimento. Menos a de um deles: Tom Jobim. Nunca comeu uma azeitona fiado ali. Afinal, era ou não amigo de Alberico?

Torneio de peteca na praia

A música popular pode ser cruel. Dois músicos passam anos compondo juntos, fertilizando-se um ao outro e, por vários motivos — um é também cantor, o outro não; um é exuberante, o outro, tímido; um tem uma longa carreira, o outro morre cedo —, o que acontece? O primeiro engole o segundo e, talvez sem querer, torna-se o único autor do que fizeram a dois.

Foi assim com Luiz Gonzaga e Humberto Teixeira, criadores do baião, sendo Humberto o principal compositor da dupla (e Gonzaga, o "sanfonizador"); com Nelson Cavaquinho e Guilherme de Brito, autores de "Folhas secas", "Pranto de poeta", "A flor e o espinho"; e também assim com Tom Jobim e Newton Mendonça, autores de, entre outras, "Desafinado", "Samba de uma nota só" e "Meditação". Para o vulgo, só Luiz Gonzaga, Nelson Cavaquinho e Tom existiram.

Newton Mendonça não cantava. Era retraído, nada competitivo e morreu de enfarte aos 33 anos, em 1960, justamente quando "Samba de uma nota só" começava a estourar. A posteridade, essa leviana, reduziu-o a letrista de Tom, como se ele tivesse sido um Vinicius ou um Aloysio de Oliveira avant la lettre. Acontece que Newton era pianista, músico completo — tanto quanto Tom, com quem compunha de igual para igual —, e só às vezes letrista. Quando os dois se sentavam para trabalhar, no apartamento de um ou de outro, revezavam-se no piano e na caneta. Isso me foi dito por Tom e confirmado por Cirene, viúva de Newton.

Sem Newton Mendonça naqueles anos cruciais, por volta de 1958, talvez não tivesse havido a bossa nova. Não por acaso, das sete canções de Tom que passaram de 2 milhões de execuções, estão as três com Newton.

Tom também já morreu, mas só fisicamente. Continua entre nós e, como se não bastasse, deram seu nome ao aeroporto do Galeão, a um parque na Lagoa, um instituto dentro do Jardim Botânico, uma fundação cultural, uma ou duas universidades, vários botequins pelo Brasil e ainda virou estátua em Ipanema. Merece tudo isso e muito mais. Mas Newton Mendonça ainda não foi lembrado nem para batizar um torneio de peteca na praia. Por acaso, o esporte de que ele gostava, que se jogava pelo prazer de jogar — por não ter vencidos nem vencedores.

Fim do sossego no paraíso

Quando morre um brasileiro famoso, vou direto aos jornais no dia seguinte. É infalível: algum deles conterá na primeira página um cartum mostrando o falecido de camisola branca e asinhas, sendo recebido numa nuvem pelo colega que tenha partido antes, também de asinhas e camisola, como um anjo. É uma alegoria, uma representação da crença de que, com a chegada do fulano, o céu ficou em festa.

Foi assim quando Tom Jobim morreu, em 1994, e os cartuns o mostraram sendo recebido no céu por Vinicius de Moraes, morto em 1980. Em 2019, foi a vez de João Gilberto, com a indispensável camisola, ir juntar-se a Tom e Vinicius na nuvem. Quando morreu Miele, em 2015, Ronaldo Bôscoli, seu parceiro do Beco das Garrafas, já o esperava no céu e também de camisola — no caso deste, sem as asinhas, porque ninguém acreditaria em Ronaldo Bôscoli de anjo. Outros grandes nomes ainda vivos da bossa nova já devem estar penteando as asas para quando viajarem.

Foi assim também com a morte de Millôr Fernandes, em 2012, juntando-se no céu a Ivan Lessa e Paulo Francis — logo eles, três firmes ateus. A do poeta Ferreira Gullar, em 2016, sentando-se à mesa celestial com os já subidos João Cabral de Melo Neto e Carlos Drummond de Andrade, embora os três nunca tivessem se sentado juntos em vida. Curiosamente, só não se desenham cartuns com mulheres indo de asinha e camisola para a nuvem — quando Bibi Ferreira morreu, não me consta que a mostraram sendo recebida por Tonia Carrero.

Pergunto: supondo que a dita nuvem exista e que os grandes

mortos transmigrem para ela ao morrer, por que encontrariam somente os pares com quem se davam? Por que não também com quem não se davam e talvez até detestassem? Fico imaginando os arranca-rabos no céu entre Lima Barreto e Coelho Netto, dois amargos desafetos; entre Mario de Andrade e Oswald de Andrade, este jogando contra Mario toda a sua homofobia; Getulio Vargas e Carlos Lacerda, cujo ódio recíproco dispensava apresentações; as rivais de auditório Emilinha Borba e Marlene; e o ex-casal Elis Regina e Ronaldo Bôscoli, cujo casamento já fora definido como um trailer da Terceira Guerra Mundial.

E é sempre o primeiro de cada dupla que, tendo morrido antes, assiste com desprazer à chegada do outro em sua nuvem e já prevê o fim do seu sossego paradisíaco.

Belezas em reserva

Num show no Rio, em 2011, o trombonista Vittor Santos convidou a plateia — uma plêiade cascuda de fãs da bossa nova e do samba-jazz — a dizer título e autor do tema instrumental que ele iria tocar. Veio o tema, de melodia hipnótica, que se desdobrou por dez minutos. Todos se lembravam de já tê-lo escutado alguma vez. Quando terminou, o músico esperou por um palpite. Não se ouviu um pio. Nem o meu.

Ninguém reconheceu o tema, intitulado "Acapulco", e muito menos seu compositor: João Gilberto. Quando Vittor o revelou, aí, sim, alguns de nós produzimos aquele cacarejo coletivo de quem liga o nome à figura. Era uma das faixas de *João Gilberto en México*, de 1971, o disco mais subestimado do cantor.

Em toda a carreira de João Gilberto, falou-se de sua genialidade ao violão e ao canto. Fez-se de suas excentricidades um folclore e descobriu-se até sua habilidade para jogar pingue-pongue. Só não se falou de seu talento como compositor. E, no entanto, ele foi o autor de três títulos que marcaram a infância da bossa nova: o samba-baião "Bim Bom", o beguine "Hô-bá-lá-lá" e o maroto instrumental "Um abraço no Bonfá", este "adaptado" nota por nota do choro "O barbinha branca", de Luiz Bonfá e Tom Jobim, dos anos 50 — os quais levaram a "adaptação" na esportiva. Para não falar em "Minha saudade", com seu duplo de alma João Donato.

Diante do papel de João Gilberto como fixador de um gênero cujos clássicos foram estabelecidos por ele, não espanta que suas composições, esquecidas por ele próprio, tenham ficado na sombra, como as valsas "Bebel" e "João Marcelo", o baião "Undiú" e a própria "Acapulco", com suas letras enxutas, quase inexistentes. O próprio cantor raramente as incluiu em seus shows. Era típico da personalidade de João Gilberto manter tantas belezas em reserva. Terá havido outras?

Sim, sabemos agora que havia. Mas não mais em reserva. Estão todas no CD *Bim Bom — The Complete João Gilberto Songbook*, com doze canções do compositor João Gilberto por — quem mais? — Ithamara Koorax e violão e guitarra por Juarez Moreira. Como compositor, João Gilberto, evidentemente, não era Tom Jobim. Nem precisava, porque tinha Tom para compor para ele, o que Tom fez por décadas, tornando João quem era. Mas é bom saber que, se quisesse, João Gilberto poderia produzir o que ninguém interpretaria melhor que ele.

A vida desafina

Sempre que se viu diante de um microfone, João Gilberto lutou para exercer o controle — e venceu. Fez isso pelo menos desde o dia 10 de julho de 1958, quando gravou o samba "Chega de saudade", no estúdio da Odeon, na avenida Rio Branco. Já naquele dia mostrou a que vinha: exigiu dois microfones, um para sua voz, outro para o violão. Não era uma prática comum, mas, com o decidido aval de Tom Jobim, os técnicos o atenderam. O resultado, todos sabem. Ali nascia um novo som, um novo ritmo, um novo mundo — a bossa nova.

"Quando João Gilberto se acompanha, o violão é ele. Quando a orquestra o acompanha, a orquestra também é ele", escreveu Tom na contracapa do LP *Chega de saudade*, lançado um ano depois. E foi assim desde então. Em todos os seus discos, João Gilberto foi o verdadeiro autor dos arranjos, cabendo a Tom as orquestrações, a vesti-los de cordas, flautas e trombones. Durante sua carreira, João Gilberto enlouqueceu várias orquestras, exigindo de cada músico uma perfeição que talvez só existisse nele próprio — sei de mais de um que foi chorar no banheiro da gravadora. E os encarregados da pós-produção (mixagem, corte, prensagem) também cogitaram assassiná-lo a sangue-frio — ninguém podia ser tão exigente àquele ponto.

Nos concertos, João Gilberto discutia em cena com o pessoal do som (os microfones nunca pareciam estar perfeitos), com o encarregado do ar-condicionado (letal para a madeira e as cordas do violão) e com as pessoas na plateia (que insistiam em falar enquanto ele cantava). É uma prerrogativa do cantor, querer ser escutado.

Quem não quisesse escutar não era obrigado a ir ao seu show. Certa noite, em São Paulo, vaiaram-no por causa disso. Ele não passou recibo: "Vaia de bêbado não vale".

Em sua obsessão pelo controle, João Gilberto tinha como ambição apenas parar o mundo para exercer sua arte. Diante do microfone, conseguiu.

Fora do palco, foi o contrário. Nunca teve controle sobre sua vida. Habituou-se a delegá-la a outros, na esperança de que ela ficasse à distância de seu apartamento, de seu quarto e de seu pijama. Mas a vida escreve seus próprios arranjos e orquestra a si mesma, como ele descobriu com tristeza nos últimos anos — doente, cansado, filhos em litígio. E, pior ainda, descobrindo que a vida, às vezes, desafina feio.

1 + 1 = 30

Ao compor "Com que roupa?", "Três apitos", "Palpite infeliz" e tantas mais, Noel Rosa só precisou de uma folha de papel (ou o verso de um maço de Selma), um lápis e um copo de cerveja Cascatinha. Não que Noel fosse contra parceiros. Com Vadico, fez "Feitiço da Vila", "Conversa de botequim", "Feitio de oração". Com Heitor dos Prazeres, "Pierrô apaixonado". Com João de Barro, "As pastorinhas".

Ary Barroso, também só e muito bem acompanhado por seu piano, compôs "Camisa amarela", "Faceira", "Na baixa do sapateiro", "Morena boca de ouro", "Os quindins de Iaiá", "Risque" e "Aquarela do Brasil". Com Luiz Peixoto, fez "Maria", "Na batucada da vida" e "É luxo só". Com Lamartine Babo, "No rancho fundo". Dorival Caymmi, sozinho, fez "O que é que a baiana tem?", "Só louco", "Nem eu", "Marina", "Maracangalha". Mas, com Antonio Almeida, fez "Doralice". E, com Carlinhos Guinle, "Sábado em Copacabana" e "Não tem solução" — não é verdade que Guinle entrasse apenas com o uísque.

Tom Jobim teve Vinicius de Moraes como parceiro em "A felicidade", "Chega de saudade", "Ela é carioca", "Garota de Ipanema" e mais 62 maravilhas. Outros de seus parceiros foram Billy Blanco ("Teresa da praia"), Luiz Bonfá ("A chuva caiu"), Newton Mendonça ("Desafinado"), Marino Pinto ("Aula de matemática"), Dolores Duran ("Estrada do sol"), Aloysio de Oliveira ("Dindi") e Chico Buarque ("Imagina"). Mas, sozinho, absoluto no piano e na caneta, Tom fez "Outra vez", "Fotografia", "Corcovado", "Samba do avião", "Wave", "Chovendo na roseira", "Águas de março".

É verdade que existiram parcerias triplas. "Cantores do rádio", sucesso de Carmen e Aurora Miranda, foi escrita a seis mãos: Lamartine, João de Barro e Alberto Ribeiro, assim como "Estamos aí", bandeira da bossa nova, por Durval Ferreira, Bebeto Castilho e Regina Werneck. Mas eram raros. Quase sempre, bastava um para fazer a música, outro para a letra. Os lucros também eram divididos em 50/50.

Ouço dizer que as músicas de hoje, principalmente as internacionais, exigem um "coletivo" de sete, oito ou mais pessoas para compô-las. Já não bastam o compositor e o letrista. Atualmente, nos créditos, juntam-se a eles o produtor, o cantor, o DJ, o PR, o MC, o caititu, o amigo que traz o pó, o garoto que busca a pizza e uma estranha entidade chamada "beatmaker". Todos assinam a mesma canção. Um recente sucesso americano tinha trinta autores! É parceria ou formação de quadrilha?

Visitas gasosas

Uma senhora americana, Rhonda Baron, cidadã de Arlington, na Virgínia, e campeã local no torneio anual de torta de maçã, declarou que o cantor Jim Morrison, líder do The Doors, morto em 1971, apareceu três vezes em sua casa. Jim surgia de repente, sempre à noite, de peito nu, longos cabelos e com a mesma beleza satânica de quando era vivo. Não dizia nada e se deitava ao seu lado na cama. Parece que ele havia morado nessa casa em criança e talvez estivesse com saudade de seu quarto. D. Rhonda garantiu que, embora Jim fosse a sua grande paixão adolescente, os dois ficavam quietinhos, deitados, sem fazer nada. Não duvido. Mesmo porque, morto, o incendiário cantor de "Light My Fire" estava um pouco gasoso. Ela podia até ver através dele.

Outro que aparece periodicamente para seus fãs, inclusive brasileiros, é Michael Jackson. Falecido há não muitos anos, Michael talvez ainda não tenha se habituado a sua condição de ectoplasma, e tal desorientação o faça deixar Neverland, onde foi enterrado, para vir ao Brasil. É bem possível. No Além, as noções de tempo e espaço são diferentes, e as almas podem se confundir. Ademais, Michael tinha grande experiência em andar para a frente como quem anda para trás e vice-versa.

O lendário presidente americano Abraham Lincoln (1809-65) até hoje é visto por empregados na Casa Branca. E sempre do mesmo jeito: chega da rua, senta-se em sua antiga cama, suspira, descalça as botas e tira lentamente as calças. Ao se ver de ceroula e meias, faz um som parecido com "pop!" e desaparece. Os empregados já nem ligam. E Getulio Vargas, de pijama listrado, também visita o antigo Palácio do Catete, onde se matou usando aquele exato pijama. O buraco da bala está lá para provar.

E eu próprio ouvi de Tom Jobim, em 1968, numa mesa do Veloso, em Ipanema, uma declaração chocante. Na noite anterior, seu pai, o poeta Jorge Jobim, lhe surgira de pé, junto à sua cama. Tom acordou, viu seu pai ali e ouviu quando ele decretou: "Antonio Carlos, pesque menos e trabalhe mais". Bom conselho, sendo irrelevante o fato de que Jorge Jobim morrera em 1935, quando Tom tinha oito anos.

Naquele momento, estremeci. Eu estava diante do autor de "Garota de Ipanema", do homem que acabara de gravar com Frank Sinatra e que tinha nas mãos o mundo musical. Alguém sobre quem não restava a menor dúvida. E ele estava me dizendo que conversava com os mortos. Mas, vinda de Tom, era uma declaração abalizada e, por um instante, quase revi meus conceitos materialistas.

Tarde-noite vinte anos depois

Às seis da tarde do dia 28 de março de 1968, eu estava me despedindo de Tom Jobim, depois de horas de uma entrevista na mesma mesa que citei antes. Ele, ainda recendendo a Los Angeles, onde passara o ano anterior às voltas com seu disco com Frank Sinatra. Eu, o jovem (vinte anos) repórter de *Manchete*. Como já contei, Tom estava me dizendo que, na noite da véspera, seu pai, morto em 1935, lhe aparecera ao pé da cama, vindo especialmente do Além para conversar com ele. É natural. Quem, vivo ou morto, não gostaria de conversar com Tom?

Naquele momento, sem que soubéssemos, outra pessoa estava morrendo, só que na vida real: o estudante Edson Luís de Lima Souto, dezoito anos, com uma bala no peito, disparada por um PM no Calabouço, restaurante popular para meninos como ele, recém--chegados ao Rio para estudar. Edson viera do Pará e era simples figurante num protesto em curso naquela tarde-noite no restaurante. Mas a polícia entrara aos tiros e ali se dera o encontro fatal entre ele e a bala.

Era a primeira vez que eu me sentava com Tom e, por isso, a partir dali, sempre foi inevitável associar aquele dia ao assassinato de Edson. E calhou que eu não voltasse a ver ou falar com Tom pelos vinte anos seguintes. Ele fora morar fora do Brasil, eu também, e, mesmo quando os dois estavam no Rio, as circunstâncias não favoreciam. Até que, um dia, em 1988, também numa tarde-noite, entrei na churrascaria Plataforma, no Leblon, para um almoço tardio.

Àquela hora ela estava vazia, exceto por uma mesa onde se sentavam meu ex-colega de TV Globo Ronaldo Bôscoli, letrista de "O barquinho", e Tom Jobim. Ronaldo me viu e me convidou a sentar com eles. Apresentou-me a Tom, que, para meu espanto, pareceu me reconhecer. Em meio à conversa sobre qualquer coisa, dei uma espiada de passagem no *Jornal do Brasil* que eu acabara de comprar na banca em frente à Plataforma. E meus olhos bateram num título na primeira página.

Dizia: "FAZ HOJE 20 ANOS DA MORTE DO ESTUDANTE EDSON LUÍS". Olhei casualmente o relógio. Até a hora era a mesma. Por artimanhas do sobrenatural, em que não acredito, vivo protagonizando coincidências. Mas aquela foi de arrepiar.

Discos, só em sonhos

O ser humano não se contenta com nada. Mesmo ao colecionar mais discos do que poderá ouvir na vida, ele lamenta que esse ou aquele nunca tenha sido gravado. Eu, por exemplo, sempre sonhei com um disco que juntasse o grupo vocal-instrumental Os Cariocas, só cantando, e o instrumental-vocal Tamba Trio, só tocando. Seria um casamento perfeito. Além disso, seus líderes, Severino Filho e Luiz Eça, eram amigos, contratados da mesma gravadora Philips, e se admiravam. E por que esse disco nunca se realizou? Porque se achavam perfeitos em tudo e não aceitariam fazer só aquilo que realmente sabiam fazer: Os Cariocas, cantar, e o Tamba Trio, tocar. Severino e Luizinho nunca admitiriam isso.

Imagine agora esse time: João Gilberto, violão; João Donato, piano; Tião Neto, contrabaixo; Milton Banana, bateria. Só em sonho? Não. Em meados de 1963, eles se apresentaram com essa formação numa boate em Viareggio, no sul da Itália, todas as noites, por três meses. Algum dos shows terá sido gravado? Se sim, onde estão as fitas? E eles nunca mais se juntaram num palco — nem mesmo João Gilberto e Donato, que levaram a vida se encontrando para discutir filosofia e queimar um.

O contrário já aconteceu. Francisco Alves e Mario Reis, Elizeth Cardoso e Cyro Monteiro, Leny Andrade e Pery Ribeiro, Doris Monteiro e Lucio Alves, Dick Farney e Claudette Soares, Chico Buarque e Maria Bethânia — todos um dia dividiram o microfone, resultando em discos formidáveis. Mas por que Emilinha Borba e Marlene, Nelson Cavaquinho e Cartola, Orlandivo e Jorge Ben, Wilson Simonal e Elza Soares, Tim Maia e Rita Lee, todos tão compatíveis, nunca fizeram o mesmo? Talvez porque ninguém tenha pensado nisso.

Os americanos não vacilavam. Frank Sinatra gravou com Bing Crosby, Louis Armstrong com Ella Fitzgerald, Duke Ellington com Charles Mingus, Bobby Short com Mabel Mercer, Sonny Rollins com o Modern Jazz Quartet, John Coltrane com Johnny Hartman. Nenhum deles saiu menor desse encontro. Só a música saiu maior.

Tom Jobim, por acaso, foi dos que mais dividiram o microfone com os colegas. Gravou com João Gilberto, Stan Getz, Dorival Caymmi, Eumir Deodato, Edu Lobo, Elis Regina, Miúcha e Sinatra. Mas por que não também com Johnny Alf, João Donato, Caetano, Astor Piazzolla, Gerry Mulligan, Tony Bennett? Todos eram seus fãs. Ou será melhor não falar nisso, para que ninguém tenha a ideia de juntar essas duplas post mortem, pela inteligência artificial?

Piano de pau

Tom Jobim parecia fazer amor com seu piano. Até a maneira como pronunciava a palavra revelava isso: "O piano...", como se a acariciasse com a voz. Certa vez, em sua casa, ele o definiu, para mim e para o editor Almir Chediak: "O piano é uma fábrica, não?". Não sei quanto a Almir, mas logo visualizei o interior daquela fábrica. Os operários seriam os martelos revestidos de feltro. Os gerentes, as cordas de aço. A administração, o teclado. E o patrão, o comandante daquela operação, naturalmente o pianista. A beleza que Tom extraía do que tocasse, fossem notas soltas, um novo acorde ou uma canção completa, parecia transfigurá-lo e a quem o ouvisse.

Daí seu aborrecimento em Los Angeles, em 1974, ao saber que Cesar Camargo Mariano, responsável pelos arranjos do LP *Elis & Tom*, que eles iriam gravar, queria que ele tocasse piano elétrico, maquininha que Tom usava de vez em quando, mas que chamava de "aporrinhola". E o susto supremo ao ouvir Mariano referir-se ao piano acústico, de madeira e cordas — que Tom via como uma obra-prima da criação humana, com quase trezentos anos de história —, como "piano de pau". Ao ouvir aquilo, Tom voltou-se desesperado para o produtor Aloysio de Oliveira: "Aloysio, me socorre! Ele chamou o piano de 'piano de pau'!".

Para Cesar Mariano, aquilo parecia normal. Se um era o piano elétrico, de plástico, o outro só podia ser o "piano de pau" — assim como o baixo elétrico do rock já reduzira o robusto, sonoro e generoso contrabaixo acústico, também de madeira, a um reles "baixo de pau". Não era menos grosseiro do que chamar uma prótese de perna de pau.

Diante dessa história do piano de pau, já me perguntei por que, quando surge uma nova tecnologia, é a mídia antiga que muda de nome, e não a que acabou de chegar. Quando apareceu o CD, feito de metal, o velho LP passou a ser chamado de "vinil", que é o material com que ele era fabricado. Por que não deixaram o nome LP em paz e, em vez disso, chamaram o CD de "metal"?

Por que o telefone, diante dos celulares e smartphones, deixou de se chamar só telefone e tornou-se "telefone fixo"? Por que o jornal, que há séculos nos abraça quando o abrimos de manhã, passou a ser chamado, diante dos jornais on-line, de "jornal impresso" ou "de papel"? E quanto falta para que os robôs, cada vez mais "humanos", nos obriguem a provar que nós, sim, é que somos os humanos?

Tinha de ser

Elis & Tom, o LP gravado em Los Angeles em 1974, faz cinquenta anos em 2024. É muito tempo. Em 1974, um disco gravado cinquenta anos antes, ou seja, em 1924, soava como se tivesse saído da tumba de Tutancâmon. Já *Elis & Tom* soa hoje como se tivesse sido produzido ontem, pela grandeza de seus titulares Elis Regina e Antonio Carlos Jobim, das canções, dos arranjos, dos músicos. Como fomos capazes de produzir tanta beleza e sensualidade em quatorze faixas?

Pois agora temos *Elis & Tom: Só tinha de ser com você*, o longa de Roberto de Oliveira e Jom Tob Azulay sobre a gravação do disco, a partir do material produzido em 1974 e guardado durante 45 anos. Roberto e Jomico o restauraram, enriqueceram-no com imagens de hoje, gravaram novas entrevistas e imprimiram-lhe um ritmo que arrebata o espectador. Se o cinema não fosse regido por outras leis — não sabemos nem se continuará a existir no futuro —, eu diria que esse filme também será visto em 2074 com a mesma emoção que desperta hoje. Por enquanto, contento-me em achar que pode ser o melhor documentário sobre música popular produzido no Brasil.

Ele trata de tudo que aconteceu antes e durante a gravação do disco que Elis pensava ser dela, com Tom como convidado, e que, para Tom, era dele, com Elis como sua intérprete, e do qual os dois precisavam num momento difícil de suas carreiras. Fala dos rancores entre eles, desde quando Tom, em 1964, recusou a novata Elis em um disco que ele produzia, e ela, assim que se consagrou, passou a esnobá-lo e à bossa nova. Fala também da amarga rixa entre

Tom, soberano do universo acústico, e o arranjador Cesar Mariano, marido de Elis e adepto da eletricidade. E de como, por mágica, os traumas se dissiparam no estúdio, e o disco, que tinha tudo para dar errado, resultou numa obra que transpira amor a cada nota ou palavra.

Esse amor transpira também de cada fotograma do documentário. Percebi isto ao assistir a ele numa sessão de pré-estreia na Academia Brasileira de Letras, em fins de 2023. Em certo momento, olhei para a plateia atrás de mim e pude sentir as ondas de amor partindo dos convidados em direção à tela. Foi também o que inspirou este livro.

Como se, unidos pela beleza, Tom e Elis esquecessem seus desamores e, pela eternidade de um disco, se tornassem o casal mais apaixonado — e apaixonante — da Terra.

Índice onomástico

Abreu, José Maria de, 51
Abreu, Zequinha de, 51, 159
Adderley, Cannonball, 103
Adnet, Mario, 120
Adolfo, Antonio, 51, 186
Alencar, José de, 77
Alf, Johnny, 51, 71, 89-92, 94-5, 97, 126-8, 178, 199, 216
Almeida, Antonio, 209
Almeida, Aracy de, 65, 97, 108, 111, 129, 163
Almeida, Hélio de, 181
Almeida, Laurindo, 135
Almeida, Manuel Antonio de, 77, 124
Almeida, Murilinho de, 97
Álvares de Azevedo, Manoel Antonio, 77
Alves, Ataulpho, 129
Alves, Carmelia, 71
Alves, Francisco, 84, 108, 111, 215
Alves, Lucio, 53, 83, 94-5, 108, 112, 146, 179, 196-8, 215
Alvim, Álvaro, 181
Amado, Gilberto, 81
Amado, Jorge, 77, 141
Americano, Luiz, 54
Andrade, Leny, 43, 45, 83, 91, 199, 215
Andrade, Mario de, 204
Andrade, Oswald de, 204

Angel, Stuart, 187
Angel, Zuzu, 182, 187
Angela Maria, 108, 111, 129, 142
Anjos do Inferno, 112
Antonio Maria, 45, 65, 95-6, 126-7, 129, 144, 199
Antonio Pedro, 42
Anysio, Chico, 80
Araújo, Zeka, 22
Arlen, Harold, 95, 143
Armstrong, Louis, 37, 165, 216
Armstrong, Neil, 152
Athayde, Austregésilo de, 173
Austin, Gene, 136
Azevedo, Leonel, 148
Azevedo, Valdir, 112
Azulay, Jom Tob, 219

Babo, Lamartine, 108, 209-10
Baker, Chet, 135
Bandeira, Antonio, 65
Bandeira, Manuel, 26, 107, 139, 141
Bando da Lua, 197
Baptista, Dircinha, 108, 129, 199
Baptista, Linda, 97, 108, 111, 129, 163
Baptista, Wilson, 108, 129
Barbosa, Haroldo, 65, 96, 138
Barbosa, Luiz, 136
Barbosa, Orestes, 143
Baron, Rhonda, 211

Barreto, Paulo *ver* João do Rio

Barroso, Ary, 51, 53, 59, 65, 107, 117, 119, 121, 127, 129, 143, 159, 163-4, 189, 209

Barroso, Inezita, 163-4

Basie, Count, 98, 150, 195

Bastos, Ronaldo, 192

Beatles, The, 145, 161

Bello de Carvalho, Hermínio, 186

Ben, Jorge *ver* Benjor, Jorge

Benjor, Jorge, 91, 98, 111, 196, 215

Benario, Olga, 62

Bennett, Tony, 216

Benson, George, 195

Berlin, Irving, 87, 143, 196

Bethânia, Maria, 111, 129, 215

Bide & Marçal, 143, 148

Bierce, Ambrose, 57

Bilac, Olavo, 81, 107

Bittencourt, Luiz, 148

Blakey, Art, 165

Blanco, Bilinho, 177

Blanco, Billy, 23, 77, 108, 129, 177-9, 209

Blanco, Ruth, 178

Bolsonaro, Eduardo, 185

Bolsonaro, Jair, 30, 183-5

Bonfá, Luiz, 54, 96, 126-7, 154, 197, 205, 209

Borba, Emilinha, 60, 112, 204, 215

Bôscoli, Ronaldo, 90, 93, 108, 114, 117-8, 123, 127, 154, 203-4, 213

Bossa Três, 153

Bowie, David, 145

Braga, Rubem, 32, 80, 88, 107, 141, 181, 189

Braguinha *ver* João de Barro

Brassens, George, 132

Bravo, Amanda, 98

Brel, Jacques, 87

Brito, Guilherme de, 144, 201

Brown, Clifford, 149

Bruno, Lenita, 83, 141

Buarque, Chico, 47, 101, 105-6, 111, 128, 146, 185-7, 192, 209, 215

Buhrer, João Antonio, 31

Buzar, Nonato, 186

Caetano, Pedro, 148

Caldas, Sylvio, 54, 97, 108, 111, 143, 163

Callado, Antonio, 174, 188

Callas, Maria, 87

Camargo Guarnieri, 141

Camargo Mariano, Cesar, 217, 220

Caminha, Alcides, 144

Campana, Alberico, 42, 199-200

Capinam, José Carlos, 186

Capone, Al, 75

Capra, Frank, 87

Cardoso, Elizeth, 61, 63, 83, 91, 95, 97, 108, 111, 129, 140-1, 146, 215

Cardoso, Lucio, 176, 182

Cariocas, Os, 101, 111, 189, 215

Carmichael, Hoagy, 95, 143

Carrero, Tonia, 181, 203

Carrilho, Altamiro, 54

Cartola, 94, 144, 186, 215

Carvalho, Beth, 112

Carvalho, Joubert de, 51, 124

Carvana, Hugo, 42, 175

Cascata, J., 148

Cassirer, Ernst, 83

Castilho, Bebeto, 89, 125, 210

Castro, Josué de, 182

Castro Alves, 77

Castro Neves, Oscar, 93, 125, 127, 150

Cavalcante, Aurélio, 51

Cavalcanti, Di, 45-6, 62, 65

Cavanaugh, Page, 136-8
Caymmi, Dori, 106
Caymmi, Dorival, 62, 65, 107, 111, 121, 127, 129, 144, 146, 188, 209, 216
Caymmi, Nana, 94, 108
Cazuza, 78, 182, 188
Chacrinha, 80
Chambers, Paul, 103, 153
Charles, Ray, 196
Chediak, Almir, 119, 217
Chitãozinho, 120
Chopin, Frédéric, 104
Cleusa Maria, 79
Cobb, Jimmy, 103
Coelho Netto, 107, 204
Cole, Nat King, 136
Coltrane, John, 103, 165, 216
Conrad, Joseph, 87
Copinha, 54, 139
Cortez, Raul, 175
Costa, Alayde, 91, 125
Costa e Silva, Arthur da, 47
Couto, Ribeiro, 59
Crosby, Bing, 216
Curtiz, Michael, 87
Cybele, 47
Cynara, 47
Cyva, 197

Davis, Miles, 103-4, 153
Davis Jr., Sammy, 169
Day, Doris, 137
Dennis, Matt, 136
Deodato, Eumir, 127, 216
Diniz, Leila, 78, 88, 175, 181, 188
Dona Neuma, 100
Donato, João, 51, 71, 89, 91, 118, 127, 138, 158, 178, 205, 215-6
Doors, The, 145, 211

Dorham, Kenny, 153
Drake, Ervin, 159
Drummond de Andrade, Carlos, 26, 77, 107, 139, 141, 203
Duke, Vernon, 143
Duran, Dolores, 65, 71, 73, 78, 84, 89, 91, 95, 108, 111, 129, 139-40, 144, 151-2, 199, 209
Dylan, Bob, 195

Eça, Luiz, 93, 125, 127, 215
Echo & the Bunnymen, 143
Eckstine, Billy, 98
Edu da Gaita, 54
Ehring, Christian, 183
Einhorn, Mauricio, 125
Elbrick, Charles, 187
Elis Regina, 83, 98, 105, 108, 111, 129, 196, 204, 216, 219
Ellington, Duke, 37, 98, 143, 145, 149, 153, 216
Ertegün, Nesuhi, 196
Erundina, Luiza, 41
Etz, Ira, 57
Evans, Bill, 103, 169

Fagner, Raimundo, 188
Faria, Octavio de, 107
Farney, Dick, 53, 94-5, 97, 108, 112, 178-9, 196, 215
Fernandes, Millôr, 77, 181, 203
Ferreira, Bibi, 203
Ferreira, Durval, 125, 127, 210
Filgueiras, Mariana, 105
Fiorini, Luvercy, 125, 127
Fitzgerald, Ella, 98, 145, 196, 216
Flynn, Errol, 88
Fonseca, Rubem, 188
Francis, Paulo, 45-6, 77-8, 182, 203
Franklin, Aretha, 195

Freire Junior, 51
Freire, Lula, 126

Gabeira, Fernando, 88
Gal Costa, 111
Galhardo, Carlos, 108, 111
Garcia, Irineu, 139, 141-2
Garcia, Isaura, 112
Garcia Bueno, Gracita, 142
Gardel, Carlos, 87, 143
Garotos da Lua, Os, 137-8
Gaspar, Tiberio, 186
Gaúcho (trombonista), 139
Gershwin, George, 143, 195-6
Gershwin, Ira, 143
Getz, Monica, 155
Getz, Stan, 69, 153, 155, 157, 161, 169, 195, 216
Gil, Gilberto, 111, 163, 186
Gilbert, Ray, 151, 159-60, 197
Gilberto, Astrud, 154-5, 157-8, 161-2, 175
Gilberto, João, 23, 53-4, 61, 69-71, 74, 83, 89, 92, 97, 101, 108, 111-2, 114, 118-9, 121-3, 135-6, 138, 140-1, 146, 149, 154-5, 157-8, 161, 163-4, 168-9, 188-9, 191, 195, 197, 203, 205-8, 215-6
Gimbel, Norman, 159-60
Gnatalli, Radamés, 51, 53, 120
Gonçalves, Nelson, 111
Gonzaga, Chiquinha, 51, 53
Gonzaga, Luiz, 111-2, 159, 201
Goodman, Benny, 165, 195
Gordy Jr., Berry, 196
Goulart, Jorge, 112
Gracindo, Paulo, 80
Grant, Cary, 87
Granz, Norman, 196
Grieco, Agrippino, 25, 81

Grimaldi, Cristiano, 63
Grünewald, José Lino, 83
Guerra Peixe, Cesar, 120
Guinga, 188
Guinle, Carlos, 61, 73, 144, 209
Guinle, Jorginho, 80
Gullar, Ferreira, 77, 182, 203

Hammerstein, Oscar, 143
Hammond, John, 195
Hari, Mata, 81
Hart, Lorenz, 143
Hartman, Johnny, 165, 216
Haymes, Dick, 87
Hendricks, Jon, 135, 149-50
Hendricks, Lambert, 149
Hepburn, Audrey, 88, 175
Herbert (trompetista), 139
Hime, Francis, 51
Hines, Earl, 98
Hodges, Johnny, 169
Holiday, Billie, 98, 145, 195
Hope, Bob, 87

Imperial, Carlos, 88, 144
Ismael Neto, 91, 144

Jackie & Roy, 153
Jackson do Pandeiro, 112
Jackson, Michael, 145, 211
Jamelão, 94, 112, 196
James, Harry, 195
João Augusto, 55
João de Barro, 108, 112, 159, 196, 209-10
João do Rio, 62, 77, 81, 107, 181
Jobim, Ana Lontra, 22, 40
Jobim, Helena, 42
Jobim, Jorge, 23-5, 173, 212
Jobim, Paulinho, 192
Johnson, J.J., 153

Kabinha, 42
Kant, Immanuel, 181
Kazan, Elia, 87
Kellemen, Peter, 49
Kennedy, Jacqueline, 154
Kennedy, John, 74, 154-5, 161
Kern, Jerome, 143
Koestler, Arthur, 87
Koorax, Ithamara, 206
Kosma, Joseph, 143
Kubitschek, Juscelino, 80

Lacerda, Benedicto, 54
Lacerda, Carlos, 204
Lamare, Germana de, 185
Lambert, Dave, 149
Lambert, Hendricks & Ross, 149-50
Lan, 82
Lanzelotte, Rosana, 51
Lara, Agustín, 143
Latorraca, Ney, 175
Le Pera, Alfredo, 143
Leão, Danuza, 88, 107, 182
Leão, Nara, 61, 84, 88, 93, 105, 108, 111, 114, 117, 129, 138, 146, 197
Lee, Rita, 215
Leite, Flavia, 13
Lessa, Elsie, 189
Lessa, Ivan, 45, 80, 88, 203
Lester, Jimmy, 71
Lieberson, Goddard, 195
Lima Barreto, 46, 77, 107, 204
Lima Souto, Edson Luís de, 213
Lincoln, Abraham, 211
Lincoln, Ed, 89, 125-6
Lins do Rêgo, José, 62, 107
Lispector, Clarice, 77, 107
Lobo, Edu, 106, 129, 197, 216
Lobo, Fernando, 65-6

Lyra, Carlos, 89, 91, 93, 108, 114, 117, 121, 123, 125, 127, 138, 144, 154, 189
Lyra, Christina, 79

Macedo, Joaquim Manuel de, 77
Machado, Carlos, 97
Machado, Edison, 153
Maciel (trombonista), 139
Madi, Tito, 84, 93, 112, 127, 196, 199
Maia, Cesar, 37
Maia, Tim, 215
Malta da Cunha, Vanderlei, 105
Mancini, Henry, 176
Mann, Herbie, 153
Manuel Carlos, 188
Marcellos, José Ananias de, 100
Márcia, 94
Mario Filho, 107
Marlene, 112, 129, 204, 215
Martin, George, 196
Martinez Corrêa, José Celso, 185
Martino, Telmo, 82
Martins, Geni, 96
Martins, Herivelto, 129, 144
Martins, Oswaldo, 99-100
Martins, Roberto, 148
Maysa, 84, 106, 112-3, 117, 125, 129
McCulloch, Ian, 143
Medeiros, Elton, 186
Médici, Emilio Garrastazu, 59
Meirelles, Cecilia, 141
Melo Neto, João Cabral de, 107, 139, 141, 203
Mencken, H. L., 57
Mendes Campos, Paulo, 65-6, 107, 188-9
Mendes, Sergio, 133-4, 161, 196, 199
Mendonça, Cirene, 201

Mendonça, Newton, 51, 53, 77, 96, 98, 113, 121, 191, 201-2, 209
Menescal, Roberto, 88, 93, 108, 114, 118, 126-7, 138, 154, 197
Mercer, Johnny, 95, 143
Mercer, Mabel, 216
Mesquita, Custodio, 51, 108, 143, 148
Miele, Luiz Carlos, 80, 88, 203
Mignone, Francisco, 141
Miller, Glenn, 197
Miltinho, 96-7
Milton Banana, 155, 158, 215
Mingus, Charles, 57, 216
Mirabeau, 127
Miranda, Aurora, 210
Miranda, Carmen, 45, 84, 87, 108, 111, 123-4, 129, 161, 163, 169, 197, 210
Misraki, Paul, 132
Miúcha, 42, 216
Modern Jazz Quartet, 216
Monk, Thelonious, 149
Monroe, Marilyn, 155
Montand, Yves, 87
Monteiro, Cyro, 84, 108, 111, 163, 215
Monteiro, Doris, 84, 95, 108, 112, 129, 177, 196, 199, 215
Montello, Josué, 173
Montgomery, Wes, 169
Mooney, Joe, 136
Moraes, Vinicius de, 23, 38, 43, 45, 61, 65-6, 71, 73, 77, 82, 89, 95, 97, 101, 105, 108, 110, 113, 125, 135, 139-41, 144, 149-50, 159-60, 163, 174, 181, 189, 190, 201, 203, 209
Moreira, Juarez, 206
Moreira da Silva, Antonio, 108, 111
Moreyra, Alvaro, 79, 81

Morrison, Jim, 211
Morton, Jelly Roll, 37
Motta, Christina, 109
Motta, Nelson, 88
Moura, Paulo, 91, 177-8
Mulligan, Gerry, 153, 216
Mutantes, Os, 111

Nabokov, Vladimir, 87
Nanai (violonista), 71
Nava, Rita, 66
Nazareth, Ernesto, 51, 53, 181
Nelson Cavaquinho, 144, 201, 215
Nepomuceno, Alberto, 141
Neruda, Pablo, 65, 141
Nery, Adalgisa, 81
Ney, Nora, 84, 112, 129, 175, 178, 196
Niemeyer, Carlinhos, 80
Nunes, Clara, 111

Ogerman, Claus, 167-9
Oiticica, Helio, 182
Oliveira, Alberto de, 25
Oliveira, Aloysio de, 117, 160, 190, 196-8, 201, 209, 217
Oliveira, Dalva de, 111, 129
Oliveira, José do Patrocinio de (Zezinho), 123
Oliveira, Louis ver Oliveira, Aloysio de
Oliveira, Roberto de, 219
Orlandivo, 97, 126, 215
Oscarito, 82

Page Cavanaugh Trio, 136-8
Paiva, Rubens, 187
Paiva, Vicente, 143-4
Pal, George, 151
Pancetti, José, 65

Parish, Mitchell, 95, 143
Paulinho da Viola, 111, 186
Pedro I, d., 51
Pedro II, d., 41
Pedro Sol, 177
Pedrosa, Mario, 182
Peixoto, Cauby, 97, 112, 142
Peixoto, Luiz, 81, 121, 143, 163, 209
Pêra, Marilia, 175
Peracchi, Leo, 120
Pereira, Chico, 101
Pereira, José Mario, 173
Pereira Passos, Francisco, 46
Perkins, Carl, 198
Peterson, Oscar, 169
Piaf, Édith, 132
Piazzolla, Astor, 216
Pingarilho, Carlos Alberto, 125
Pinheiro, Leila, 177
Pinheiro, Paulo Cesar, 186
Pinto, Irany, 139
Pinto, Marino, 121, 148, 209
Pires Vermelho, Alcyr, 51
Pittigliani, Armando, 196
Pixinguinha, 62, 105, 127, 143, 159, 189
Porter, Cole, 95, 97, 104, 132, 143, 195
Portinari, Candido, 189
Porto, Sergio, 65, 107
Powell, Baden, 74, 91, 97, 111, 113, 125, 127-9, 159, 186, 189, 197
Pratt, Lloyd, 137
Prazeres, Heitor dos, 209
Prestes, Luiz Carlos, 62
Prévert, Jacques, 132, 143
Proença, Lucia, 73, 190

Quarteto em Cy, 197
Quartin, Roberto, 196

Queiroz, Rachel de, 77, 107
Quinderé, Fernanda, 125

Radziwill, Lee, 154
Ramalho, Elba, 74
Ramone, Phil, 155, 157-8
Ramos, Graciliano, 62
Rangel, Lucio, 65
Ratinho, 54
Rebelo, Marques, 107
Reis, Dilermando, 54
Reis, Luiz, 96
Reis, Mario, 84, 108, 111, 136, 215
Resende, Otto Lara, 107, 141
Ribeiro, Alberto, 210
Ribeiro, Almir, 91
Ribeiro, João Ubaldo, 42, 188
Ribeiro, Pery, 91, 177, 215
Richards, Keith, 57
Roberto Carlos, 105, 112
Rocha, Glauber, 78, 182
Rodgers, Richard, 143
Rodrigues, Lupicinio, 129
Rodrigues, Nelson, 47, 61, 80, 88, 107, 158
Rollins, Sonny, 165, 216
Rosa, Noel, 54, 107, 124, 128-9, 143, 209
Ross, Annie, 149
Russell, S. K., 159
Ruy, Evaldo, 143

Sá, Estácio de, 46
Sabino, Fernando, 36, 107, 189
Saint-Exupéry, Antoine de, 141
Saldanha, João, 88, 182
Salvador, Henri, 133-5
Santiago, Emilio, 125
Santoro, Claudio, 135, 141
Santos, Agostinho dos, 91, 96
Santos, Moacir, 91, 128

Santos, Vittor, 205
Santos, Walter, 126
Saraceni, Paulo Cezar, 175-6
Scheuenstuhl, Paulo, 109
Schifrin, Lalo, 125
Schmidt, Augusto Frederico, 107, 139
Seeger, Pete, 195
Seixas, Raul, 188
Sellers, Peter, 175
Sergio Ricardo, 127, 154, 197
Severino Filho, 91, 215
Severo, Marieta, 185
Shank, Bud, 135
Short, Bobby, 37, 216
Silva, Jonas, 138
Silva, Orlando, 84, 108, 111
Silva, Valfrido, 148
Silver, Horace, 153
Silvio Cesar, 94, 126
Simonal, Wilson, 91, 93, 98, 111, 199, 215
Sinatra, Frank, 63, 69-72, 83, 98, 105, 109, 137, 145, 151-2, 168-9, 178, 212-3, 216
Sinhô, 51, 53
Smith, Jack, 136
Soares, Claudette, 83, 91, 105, 108, 215
Soares, Elza, 111, 129, 146
Sócrates, 82
Sondheim, Stephen, 143
Souto, Eduardo, 51
Souza, Raul de, 91, 199
Souza, Tereza, 126
Springsteen, Bruce, 195
Stockler, Juca, 139
Streisand, Barbra, 169

Tamba Trio, 215
Tapajós, Mauricio, 186

Taylor, Creed, 153, 156-8, 161, 166-7, 191, 193, 195
Taylor, Elizabeth, 87
Teixeira, Humberto, 159, 201
Telles, Sylvia, 61, 83, 89, 108, 111, 119, 123, 125, 129, 146, 197
Tenorio Jr., Francisco, 199
Thiré, Carlos, 65
Tia Amélia, 51
Tião Neto, 153-5, 158, 215
Tico Soledade, 42
Tinhorão, José Ramos, 135
Toquinho, 43
Tormé, Mel, 169
Toshiro Mifune, 87
Trenet, Charles, 132
Troup, Bobby, 136
Turner, Pete, 193-4

Ullmann, Liv, 87
Um, Dom, 91

Vadico, 51, 209
Valença, Alceu, 188
Valente, Assis, 108, 129
Valentin, Val, 156
Valle, Marcos, 51, 114, 127, 160
Valle, Paulo Sergio, 160
Valzinho, 144
Van Gelder, Rudy, 165-7, 193
Vanderbilt, família, 195
Vandré, Geraldo, 47, 101, 128, 186
Vargas, Getulio, 204, 211
Vasconcellos, José Mauro de, 107
Vasconcellos, Marcos de, 125
Vásquez, Antonio, 66
Vasseur, Augusto, 51
Vassourinha, 112
Vaughan, Sarah, 92

Veloso, Caetano, 105-6, 111, 125, 163, 186, 216
Ventura, Ray, 134
Vianna Filho, Oduvaldo, 188
Viany, Alex, 189
Vidal, Rubens, 139
Vieira, José Geraldo, 81
Vieira Souto, Luiz Raphael, 37
Villa-Lobos, Heitor, 107, 119, 141
Vinhas, Luiz Carlos, 113, 153
Viola, Al, 137

Wanderley, Walter, 113, 125
Werneck, Regina, 210
Whiting, Richard, 143
Wilder, Billy, 87
Wyler, William, 87

Xororó, 120

Zé da Zilda, 121, 148
Zé Kéti, 129
Zé Renato, 18

1ª EDIÇÃO [2024] 2 reimpressões

ESTA OBRA FOI COMPOSTA PELO ESTÚDIO O.L.M. / FLAVIO PERALTA EM PALATINO
E IMPRESSA EM OFSETE PELA LIS GRÁFICA SOBRE PAPEL PÓLEN DA
SUZANO S.A. PARA A EDITORA SCHWARCZ EM AGOSTO DE 2024

A marca FSC® é a garantia de que a madeira utilizada na fabricação do papel deste livro provém de florestas que foram gerenciadas de maneira ambientalmente correta, socialmente justa e economicamente viável, além de outras fontes de origem controlada.